7 믿음의글들

7은 「믿음의글들」의 고유한 숫자입니다.

믿음이란
한 알의 밀알이 땅에 떨어져
죽음으로 많은 열매를 거둠과 같이
진리의 열매를 위하여
스스로 죽어지는 것을 뜻합니다.
눈으로 볼 수는 없으나
영원히 살아 있는 진리와
목숨을 맞바꾸는 자들을 일컬어
우리는 믿는이라고 부릅니다.
「믿음의 글들」은
평생을 혹은 가장 귀한 순간을
진리를 위해 이미 죽어졌거나
또는 죽어지기를 결단하는
참 믿는 이들의
참 믿는 이들을 위한
참 믿음의 글들입니다.

株式會社 弘盛社

사랑은
언제나
오래 참고

김 성 일 신앙간증집②

차 례

책머리에

한때 성도들에게 "구원 받았습니까?" 하는 질문을 하여 상대방을 난처하게 하는 사람들이 있었다. 심지어는 "언제 구원 받았습니까?" "어디서 구원 받았습니까?" 하고 물어보는 사람들도 있었다. 성경은 하나님께서 인류에게 주신 구원의 역사인 동시에 구원의 계획서이다. 하나님께서 준비하신 그 마스터플랜은 인류의 역사가 끝날 때까지 계속해서 성취되는 것이며 우리 모든 성도들의 구원도 하나님 앞에 설 때에 비로소 완성되는 것이다.

거듭난다는 것도 마찬가지이다. 이스라엘 백성들이 홍해를 건넜다고 해서 그들의 구원이 완성된 것은 아니었다. 그들은 애굽에서 나온 제1 세대의 장정들을 40년 동안 다 광야에 묻고 나서 새로운 세대가 요단강을 건너 가나안 땅으로 들어갔다. 즉 거듭난다는 것은 감상적인 흥분이나 일시적인 황홀감으로 완성되는 것이 아니라 하나님의 계획이 끝날 때까지 완성되어 간다는 뜻이다.

그러므로 우리의 인생이 끝날 때까지는 신앙생활의 '완성'이라든가 '일단락'이라든가 하는 것은 있을 수 없는 것이다. 모세가 호렙산에서 하나님을 만났던 것처럼 우리의 신앙생활은 하나님과의 '만남'에서 시작되는데 이 하나님과의 '만남'이라는 출발점을 '구원'이나 '거듭남'의 종착역으로 착각한 사람들이 자칫 교만에 빠져서 하나님의 길이 아닌 자기의 길로 달려가다가 멸망에 이르게 되는 것이다.

그래서 나는 먼젓번 간증 수기인 〈사랑은 죽음같이 강하고〉

를 펴내면서 그것이 결코 '완결편'이 아니라는 것을 강조했었다. 그리고 아니나 다를까 그 책이 미처 책으로 나오기도 전에 하나님의 새로운 계획은 시작되었던 것이다. 하나님은 참으로 무서운 분이시다. 시련을 주시면서도 결코 사건이 어느 방향으로 전개될는지 짐작 못하게 하신다. 마치 내가 소설을 쓸 때에 독자들이 책을 읽고 놀라는 모습을 기대하면서 미리 그 내용을 입에 담지 않듯이 하나님께서도 그 계획에 대한 힌트를 전혀 주지 않으신다.

이 글에는 하나님께서 나를 88년부터 6년이라는 길다면 긴 세월 동안 고통과 절망의 골짜기로 몰아넣으시면서 연단하셨던 내용들을 담았다. 그 동안 나는 오직 가냘픈 믿음 하나만으로 버티면서 모든 것을 오래 참았다. 그러나 이제 이 글을 쓰기 시작하면서 내가 깨닫는 것은 참으로 하나님 그 분이야말로 얼마나 오래 참으시는 분이었던가 하는 것이다.

나의 이 작은 고백이 지금도 영문 모른 채 하나님의 호된 연단과정 속에 들어가 계시는 분들께 조금이나마 참고가 될 수 있다면 그에서 더 큰 기쁨이 없겠다. 비록 우리가 하나님께서 하시는 일을 짐작할 수 없다 하더라도 형제의 체험을 통해서 위로를 얻을 수는 있기 때문이다. 이 글을 읽는 여러분과 저 승리의 강가에서 포옹하게 될 그날을 기다리며……

1994. 7.

김 성 일

아침이 오기 전에

서울에서 제24회 올림픽 대회가 열리게 되어 있었던 1988년은 예수 믿는 사람들에게도 매우 주의해 볼 만한 해였다. 4천 년 간 끊임없는 수난을 당해 오던 한국이 잿더미에서 일어나 무역 규모를 세계 10위로 끌어올리면서 드디어 올림픽 대회를 개최하기에 이르렀는데 그 경로가 바로 구약성경에 나오는 '욥'의 일대기와 비슷하기 때문이었다. 한국을 자주 방문했던 〈25시〉의 작가 비르질 게오르규는 그의 저서 〈한국찬가〉에서 한국을 '욥'과 같은 나라라고 표현했었다.

"한국의 운명은 구약성경이 말하는 욥의 운명과 비슷하다. 수난을 견디는 욥의 능력은 한이 없고 하나님과 자신을 믿는 신앙 또한 백절불굴이다. 한국은 바로 이와 닮았다. 한국은 지난 5천 년 동안 숱한 고난을 겪었고 욥처럼 자신의 운명에 충실해 왔다…… 한국인들은 가장 큰 시련과 불행을 참는 수천 년의 훈련을 쌓았다. 아무도 한국인들을 쓰러뜨리지 못한다. 그들은 자신의 잿더미 속에서 되살아

나는 불사조이다."

구약성경의 '욥기'에서 하나님은 욥의 믿음을 너무 자랑하시다가 사단에게 욥을 시험해 보도록 허락하셨다. 하나님의 자랑하시는 말씀을 들은 사단이 그의 모든 소유물을 빼앗으면 그가 하나님을 욕할 것이라고 말하자 그의 생명만 남겨놓고 모든 것을 사단의 손에 맡기셨던 것이다. 사단의 손에 맡겨진 욥은 하루 아침에 자식들과 재산을 다 날리는 날벼락을 맞았던 것이다.

욥이 재 가운데 앉아서 기와 조각을 가져다가 몸을 긁고 있더니 그 아내가 그에게 이르되 당신이 그래도 자기의 순전을 굳게 지키느뇨 하나님을 욕하고 죽으라(욥 2:8~9)

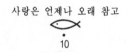

게오르규의 말대로 잿더미 위에 앉아서 기와 조각으로 몸을 긁고 있는 욥의 모습은 정말 6·25전쟁 후 한국의 모습과 같았다. 사실 지금 남아있는 그때의 사진을 보면 한국에는 잿더미 위에 기와 조각만 뒹굴고 있었던 것이다. 역사상 단 한번도 외국을 침략해 본 적이 없는 한국 사람들은 조상들의 땅이었던 만주벌판을 다 잃고 남은 한반도 땅마저 강대국들에 의해 찢겨져서 동족끼리의 전쟁으로 폐허가 되어버렸다. 그러한 수난 가운데서도 한국 사람들은 단지 '한'(恨)으로 그것을 삭여내었을 뿐 추호도 하나님을 원망하지는 않았다.

그런 한국 사람들과 흡사하게도 욥은 자기의 신세를 탄식했을 뿐 하나님을 원망하지 않았으므로 하나님은 사단과의 게임에서 이기실 수 있었다. 하나님은 욥의 믿음을 치하하시며 다시 그의 집안을 일으키시고 그의 재산을 갑절로 키워주셨다. 그 '욥기'의 마지막 부분에서 욥의 형제와 친구들은 그를 위로하기 위하여 찾아와 잔치를 열고 있다.

> 욥이 그 벗들을 위하여 빌매 여호와께서 욥의 곤경을 돌이키시고 욥에게 그 전 소유보다 갑절이나 주신지라 이에 그의 모든 형제와 자매와 및 전에 알던 자들이 다 와서 그 집에서 그와 함께 식물을 먹고 여호와께서 그에게 내리신 모든 재앙에 대하여 그를 위하여 슬퍼하며 위로하고 각각 금 한 조각과 금고리 하나씩 주었더라(욥 42：10~11)

이 장면은 마치 전세계 160개국의 선수들이 한국을 찾아와 고난 가운데서 다시 일어선 나라 한국을 보고 놀라며 거기서 올림픽 잔치를 벌이게 된 상황을 연상케 하는 것이다. 그래서 한국 사람들은 올림픽 대회를 마치면 마치 세상의 종말이라도 오는 것처럼 그 대회의 준비에 열심이었다. 사실 성경의 '욥기' 기록도 형제와 친구들이 찾아와 잔치를 여는 것을 정점으로 해서 급속하게 끝나고 있었던 것이다.

그런 분위기 속에서 시한부 종말론을 주장하는 어떤 사람들은 예수께서 무화과 나무의 가지가 연하여지고 잎사귀를 내면 여름이 가까운 줄을 알라고 하신 말씀을 가지고 종말의 때를 계산하고 있었다. 무화과 나무는 곧 이스라엘을 상징하는 것이므로 그 나무가 새잎을 낸다는 것은 2천 년 간 없어졌던 이스라엘이 다시 독립한 1948년을 의미한다는 것에서 그 계산은 시작된 것이었다. 예수께서는 이 세대가 지나가기 전에 모든 일이 다 이루어지리라고 하셨는데 성경에서의 한 세대는 40년이므로 그 숫자를 더한 1988년이 바로 예수가 재림하시는 때가 되리라는 계산이었다.

예수를 믿는 사람들 치고 그 분의 재림을 기다리지 않는 사람은 없을 것이다. 그래서 그 말이 맞건 틀리건간에 한국의 그리스도인들이 서울에서 올림픽 대회가 열린다는 그 사실보다도 88년에 예수께서 재림할는지도 모른다는 항설에 대해서 더 큰 기대와 관심을 가지고 있었던 것이다. 더구나 지구촌에서 벌어지고 있는 모든 상황들은 인류문명의 종말이 얼마 안 남았다는 것을 예고하고 있었다.

지구를 둘러싸고 있는 최후의 보호막인 오존층의 파괴와 지구의 사막화 그리고 연달아서 일어나고 있는 대형의 지진들과 지구 곳곳에서 벌어지고 있는 민족들의 분쟁이 마태복음 24장 7절의 상황을 그대로 나타내고 있었다. 그러나 무엇보다도 떨리는 것은 생명공학의 발전이었다. 시험관에서 수정란을 합성하여 대리 임신이 시작되더니 유전자 조작으로 생명을 복제하는 실험이 성공했고 식물과 동물의 유전자를 합성하는 실험까지 진행되고 있었다.

사실 이러한 종말론적인 상황은 내가 작품을 쓰는데도 큰 자극제가 되고 있었다.

아내가 위암으로 수술을 받으면서부터 세상 글을 쓰던 붓을 꺾고 성경공부와 새벽기도에 열중하던 나는 하나님께서 주신 달란트로 하나님의 집을 짓겠다는 결심을 하게 되었다. 예수께서는 한 아이가 가지고 있던 물고기 두 마리와 보리떡 다섯 개로 5천 명을 먹이셨는데 그 분은 내게도 '네가 가지고 있는 것은 무엇이냐?' 고 물으셨던 것이다. 결국 내가 가지고 있는 것은 글을 쓰는 재능이니 하나님의 일을 글로 써야겠다고 생각했는데 구약성경의 출애굽기에서도 같은 힌트를 얻었다. 이스라엘 백성들이 애굽에서 나올 때 하나님께서는 이런 명령을 내리셨다.

> 내가 애굽 사람으로 이 백성에게 은혜를 입히게 할지라 너희가 갈 때에 빈 손으로 가지 아니하리니 여인마다 그 이웃 사람과 및 자기 집에 우거하는 자에게 은패물과 금패물과 의복을 구하여 너희 자녀를 꾸미라 너희가 애굽 사람의 물품을 취하리라(출 3 : 21~22)

이스라엘 여인들이 그 자녀들에게 달아준 이 은패물과 금패물은 나중에 출애굽기 31장에서 모두 하나님의 성막(聖幕)과

성구(聖具)들을 만드는데 사용되었다. 은패물과 금패물은 예수님이 말씀하신 비유에서 재물과 달란트로 표현되는데 그렇다면 하나님께서는 바로 그 자녀들이 재물과 달란트로 헌신하여 드리는 영광 가운데 거하신다는 뜻이 되는 것이었다. 그래서 나는 글 쓰는 재능으로 하나님께서 거하시는 전을 건축하겠다고 마음 먹었던 것이다.

그렇게 해서 쓰게 되었던 것이 〈땅끝에서 오다〉〈땅끝으로 가다〉와 같은 소설들이었다. 그리고 그 소설들을 쓸 때마다 나는 종말론적인 배경을 짙게 깔았다. 뿐만 아니라 나 자신부터가 아내의 암이 언제 재발할는지 모르는 50 대 50의 종말적 상황에서 쫓기듯이 글을 썼고 그 후에 〈제국과 천국〉 등 다른 소설을 쓰면서도 '이것을 다 쓰기 전에 예수님이 오시면 어쩌나' 하는 걱정으로 쉴새 없이 글을 썼던 것이다.

소설 〈제국과 천국〉을 끝내 놓고 나서 내가 구상하기 시작했던 것은 바로 〈홍수 이후〉라는 소설이었다. 성경을 읽으면서 생겼던 많은 의문들을 하나님께 질문하면서 나는 이 세상의 지식이 처음부터 잘못되어 있었다는 것을 깨닫고 있었다. 성경에는 사람이 열매와 채소를 먹다가 홍수 이후에 육식을 시작했다고 기록되어 있는데 학교에서 배우는 교과서에는 사람이 처음에 수렵생활을 하다가 나중에 농사를 짓기 시작했다고 되어 있었다. 성경에는 하나님을 믿던 사람들이 나중에 타락해서 우상을 섬기기 시작했다고 되어 있는데 역사책에는 무속과 같은 원시종교가 진화해서 기독교와 같은 고등종교가 나왔다고 적혀있었다.

이 모든 지식의 혼선들을 풀어가다가 나는 우리에게 남겨져 있는 역사라는 것이 처음부터 날조되고 조작되었다는 것을 발견하였던 것이다. 나는 본래 대학시절부터 한국의 고대사를 배경으로 거창한 대하소설을 쓰겠다는 생각을 가지고 한국의 고대사를 많이 공부했었다. 그러나 이상하게도 한국의 고대사는 훼손 정도가 아니라 거의 말살되었다는 것을 깨닫게 되었고 할 수 없이 중국의 고대사를 들여다보기 시작했는데 그것마저도 역시 많은 모순과 혼란으로 가득차 있다는 것을 알게 되었다.

더군다나 중국을 중심으로 한 동양사와 우리가 알고 있는 서양사 사이에는 엄청난 단층이 있어서 아무리 해도 연결이 되지 않는 것이었다. 그러나 창세기 10장을 읽으면서 거기에 나오는 민족들의 전개과정과 거기에 기록된 '대분단'(大分斷)의 역사를 그 단층 사이에 끼워 넣으니까 모든 것이 완벽하게 조립될 수 있었던 것이다. 나는 성경이 지구상에서 발생하는 그 어떤 문제에도 해답을 줄 수 있다는 사실에 새삼 놀랐다. 나도 욥처럼 하나님께 많은 질문을 하며 묻혀진 고대사를 파들어갔다.

> 내가 말하겠사오니 주여 들으시고 내가 주께 묻겠사오니 주여 내게 알게 하옵소서(욥 42 : 4)

과연 역사의 마지막 장에 이르렀기 때문인지 하나님께서는 더 아껴두시지 않고 많은 비밀들을 내게 보여주셨다. 이렇게 해서 나는 '홍수 이후'에 벌어졌던 비밀한 일들과 숨겨져 있던 역사를 캐내면서 등장인물만도 2백 명이 넘는 6천 매의 대하소설을 쓰기 시작했던 것이다.

너는 내게 부르짖으라 내가 네게 응답하겠고 네가 알지 못하는 크고 비밀한 일을 네게 보이리라(렘 33 : 3)

이런 이유들 때문에 1988년은 나의 경우에도 의미심장한 기대와 함께 시작되었다. 새해 첫날의 새벽 4시 30분에 '헤브론 기도회'의 식구들은 아이들을 서둘러 깨워가지고 내장산 서래봉을 향해 새벽 등반을 시작했다. 아내가 위암으로 수술을 받았던 다음해인 81년부터 모이기 시작한 '헤브론 기도회'는 매주 토요일에 모여서 성경을 공부하는 부부들의 모임이었다. 우리는 매년의 섣달 그믐날 저녁 가족들과 함께 서울을 떠난다. 목적지의 여관에 도착해서 잠깐 눈을 붙인 다음 새벽에 등산을 시작하는데 산의 정상에서 새해의 첫 예배를 하나님께 드리기 위함이었다.

새해 예배를 드리고 산에서 내려오면 아침 식사를 한 다음 세미나가 시작된다. 성경말씀에 관한 강좌는 주로 내가 담당을 했고 다양한 직업을 가진 회원들이 자신의 직업과 관련된 신앙적 체험과 사례를 발표하기도 하고 또 때로는 아이들을 위하여 사적지 답사에 나서기도 하는 것이다.

세상 사람들이 가족동반으로 여행을 가는 경우 아빠들은 모여서 술 마시고 엄마들은 모여서 화투 치고 아이들은 고아가 되어버리는 게 일쑤인데 헤브론의 신년 수련회는 어른들로부터 아이들까지 모두 참여하는 것이어서 꽤 인기가 있었다. 또 가족들이 서로를 이해하는 기회가 되고 회원의 자녀들도 믿음 안에서 서로 사귀는 시간이 되기 때문에 헤브론의 신년 수련회는 해마다 그 내용이 충실해지면서 계속되고 있었던 것이다.

손전등을 켜들고 산을 오르면서 나는 바쁘면서도 좋았던 지난해를 돌이켜 보며 하나님께 마음속으로 감사의 기도를 드리고 있었다. 87년에는 내가 열심을 쏟아부으며 썼던 소설 〈제국과 천국〉이 출간되어 교계의 화제가 되었고 나는 더욱 여러 교회에 불려다니며 신앙 간증을 했다. 또 직장에서는 수출담당 이사로 임명되어 서울로 다시 입성했다. 참담한 심경으로 인천으로 내려간 지 6년 만의 귀환이었다. 국내 최초로 해외에 건설 중장비를 수출하는 책임을 맡게 된 나는 새로운 시장의 개척을 위해 세계의 구석구석을 누비며 뛰어다녔다.

내가 해외로 출장나가면 현지의 한인교회에서는 어느 틈에 그 정보를 알아내고는 집회를 준비하고 나를 초청했다. 해외의 바이어들을 만나 담판을 하면서도 저녁이면 그런 현지 교회들을 찾아가서 간증을 했다. 책으로만 알고 있던 독자들이 나를 직접 만나게 된 것을 즐거워했고 나는 원수의 목전에서 상을 베푸시는(시 23 : 5) 하나님의 위로를 감사했다.

또 그 무렵 나는 원고를 전달하려고 월간지 〈신앙계〉의 사무실을 찾아갔다가 그 잡지의 편집을 맡고 있던 김정기 전도사와 이런 대화를 나눈 적이 있었다.

"저…… 김 권사님의 간증을 들어보니 성경을 읽으면서 의문이 생길 때마다 하나님께 직접 질문을 하신다지요?"

"그렇습니다. 하나님께서는 일방적인 주입식 교육을 하시지 않고 자주 연습문제를 내주시지요. 그 해답은 출제자이신 하나님께 질문해서 배우는 것이 가장 정확한 방법이구요."

"그렇게 해서 얻은 해답들이 소설의 주제가 되었군요?"

"그렇습니다."

"제가 알기로는…… 그렇게 해서 얻어내신 해답들이 꽤 많으신 것 같은데 그 내용들을 우리 잡지에 한번 연재해 보면 어떻겠습니까?"

그 말을 듣고 나는 좀 망설이지 않을 수 없었다. 우선 하나님과의 은밀한 대화들을 잡지에 공개하는 것이 과연 좋은 일일까 하는 것이었고 하나님께서 나에게 주신 답변이 다른 사람에게는 공통적인 것이 아닐 수도 있을 것이기 때문이었다. 왜냐하면 성경의 말씀은 본래 보편적인 진리이지만 또 한편으로는 그것을 읽는 사람의 처지와 형편에 따라 그에게만 주시는 개별적인 계시도 될 수 있기 때문이었다. 예를 들어서 사업에 실패한 사람에게 주시는 말씀과 환자에게 주시는 말씀, 또 장사하는 이에게 주시는 말씀과 학자에게 주시는 말씀이 다를 수도 있는데 읽는 사람이 내가 얻은 답변을 성경말씀에 대한 유일한 해석인 것처럼 오해할 수도 있는 것이었다.

그러나 무엇보다도 내가 망설였던 것은 하나님께서 내게 주신 말씀들을 나는 언젠가 모두 소설의 테마로 쓰려 생각하고 있었는데 그것을 한 달에 한 가지씩 털어놓으라고 하는 것이 과연 하나님 뜻에 맞는 일인가도 생각해 보아야 하는 것이었다. 이런 내 생각을 읽었음인지 김 전도사님은 다시 나를 설득했다.

"권사님께서 얻은 해답들이 한두 가지가 아닌 것 같은데 그게 다 소설로 되어서 나오려면 너무 오래 기다려야 하지 않겠어요?"

나는 다시 88년에 예수님이 오실지도 모른다는 사람들의 이야기를 상기해 보았다. 정말 예수의 재림이 그토록 임박했다면 내가 아껴두었던 이야기들은 다 나중에 무엇에 쓴단 말인가? 더구나 이사야서에는 "크게 외치라 아끼지 말라"고 기록되어 있지 않은가? 또 하나님께서 이스라엘 사람들에게 만나를 주실 때 다음날을 걱정해서 이틀치를 남겨두었던 사람들은 그것이 다 썩어서 먹지 못하게 되었던 것이다.

> 모세가 그들에게 이르기를 아무든지 아침까지 그것을 남겨두지 말라 하였으나 그들이 모세의 말을 청종치 아니하고 더러는 아침까지 두었더니 벌레가 생기고 냄새가 난지라……(출 16 : 19~20)

이런 말씀들을 생각하고 나서 나는 고개를 끄떡이며 대답했다.

"알겠습니다. 한번 해 보지요. 그러면 제목은 매회 붙여도 되겠지만 전체적인 제목을 뭐라고 하면 좋겠습니까?"

"글쎄요…… '성경과의 만남'이라고 하면 어떨까요?"

이렇게 해서 결국 '성경과의 만남'이라는 제목의 글이 88년 1월부터 〈신앙계〉에 연재되기 시작했던 것이다. 과연 막대한 발행부수를 가지고 있는 〈신앙계〉의 위력은 대단해서 나는 사실 이 잡지 때문에 더 유명해지기 시작했다고 해도 과언이 아니었다. 많은 독자들로부터 편지나 전화를 받았고 개인적인 신앙문제의 상담을 해 오는 사람들도 있었다. 나는 본래 소설가이기 때문에 될 수 있으면 그런 상담은 교회의 목사님께 하라면서 사양했지만 워낙 끈질기게 물어오면 아는 대로 대답을 해 주는 수밖에 없었다.

나중에 이 〈성경과의 만남〉을 국민일보사 출판국에서 책으로 펴내자 그 반향은 더욱 대단한 것이었다. 서점가에서는 보기 드문 책의 품귀현상이 나타났다. 다음날 오라고 해서 가보면 또 없더라는 독자들의 불평이 날아들고 있었다. 책이 나오면 전도용으로 쓰려고 수십 권씩 한꺼번에 사가는 사람들이 있기 때문이었다.

성경을 읽으면서 의문이 생길 때마다 하나님께 질문했던 것은 사실 나 자신의 신앙을 올바로 세워가기 위함이었고 또 그것들 중의 대부분은 내가 쓰는 소설의 확실한 고증을 위해서였다. 그러나 어쨌든 〈성경과의 만남〉 때문에 소설가 김성일은 난데없는 '성경 연구가'로 소문나기 시작했다. 아예 교계의 어떤 매체는 내 글을 실으면서 성경 연구가로 소개하기도 했다. 그럴 때마다 몹시 민망스럽기도 했지만 하나님과의 대화를 글로 써내었다가 그토록 엄청난 반향이 생기는 것을 보면서 나 자신도 사실 놀라지 않을 수 없었다. 밭을 갈다가 보화를 발견했다는 마태복음 13장 44절의 이야기가 실감나는 일이었던 것이다.

그러나 87년에 겪었던 일 중에 무엇보다도 감격적이었던 것은 우리 부부가 MBC TV의 좌담회에 출연했던 일이었다. 그것은 암을 극복한 사람의 체험담을 듣기 위하여 마련한 20분짜리 좌담회 프로그램이었다. 아내가 암을 경험한 당사자로 출연을 했고 나는 그 아내의 남편이면서 또 작가의 신분으로 동석했으며 담당 의사였던 고려병원의 이상종 박사가 함께 출연을 했다. 그 좌담회 끝에 이 박사는 사회자의 질문을 받고 이렇게 대답했다.

"흔히들 위암 수술을 받으면 1년, 3년, 5년이 고비라고 하는데 이화숙 씨는 이미 7년을 넘기셨으니 이제 안심하고 사셔도 되겠습니다."

이로써 내가 늘 초조하게 생각하며 하나님께 매달려 왔던 '재발의 위험' 50 대 50의 문제가 해결된 셈이었던 것이다. 7년 전에 아내가 바로 그 이 박사에게서 위암의 진단을 받고부터 우리는 참으로 무섭고 어두운 고통의 터널을 통과해 왔다. 그러나 그 터널을 통과하고 보니 우리 부부는 엄청난 변화를 겪었고 예수 안에서 새로운 인생을 시작하게 되었다. 그 터널의 입구가 바로 '하늘의 문'이었던 것이다.

이 놀라운 체험들을 소재로 간증의 글 〈사랑은 죽음같이 강하고〉를 쓰면서 나는 아직도 고통과 시련 가운데 있는 분들이 우리 부부의 '성공적'인 변화를 자신의 처지와 비교해 보면서 '나는 왜 아직도 이 모양인가' 하며 너무 낙심하게 될까봐 그 글의 끝 부분을 이렇게 마무리 했었다.

> 그 분은 언제나 새롭고 놀라운 사건들을 준비하시고 무섭고 떨리는 모험을 요구하시기도 한다. 그러나 이제는 그 분이 우리와 동행하시므로 그 어떤 상황에 부딪히더라도 우리가 처음에 당했던 그때처럼 공포에 떨지는 않을 것이다. 하나님께서 무엇을 준비하시든 그것은 우리의 더 좋은 일을 위해서라는 것을 믿으며 그 분께서 우리를 눈동자같이 보호하고 계신다는 것을 알았기 때문이다…….

그러나 하나님께서는 나의 이러한 철없는 장담을 긴장하신 표정으로 모두 듣고 계셨다. 그러다가 마침내 하나님께서는 그 간증 수기가 책'으로 나오기도 전에 나를 신앙생활의 두번째 코스로 인도하시기 위해서 더 무섭고 떨리는 프로그램을 준비하고 계셨던 것이다.

내가 만난 하나님은 마치 세상의 아버지들이 그 자녀를 이끌고 다니며 많은 것을 가르쳐 주려고 하듯이 우리에게도 많은 것을 보여주시기 원하는 분이시다. 흔히 고궁이나 박람회장

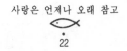

또는 전시장 같은 데 가보면 아버지들이 어린아이들을 데리고 와서 많은 것을 보여주기도 하고 아이 수준에 맞는 말로 설명을 해 주려고 애쓰는 모습을 볼 수 있다. 그러면 아이는 다리도 아프고 아이스크림도 먹고 싶은데 아버지의 손에 끌려다니다보니 지쳐서 칭얼대거나 울기도 하는 것이다.

우리 하나님도 그런 분이시다. 이 세상에 머무는 얼마 안되는 기간 동안에 조금이라도 더 많은 것을 보여주고 싶으셔서 때로는 우리가 원치 않는 곳으로 데려가기도 하시고 아이스크림 같은 것을 먹고 싶어서 한눈을 팔거나 딴전을 피우면 몹시 야단을 치시기도 하는 것이다.

그 동안 나는 여러 교회에 불려다니며 간증집회를 인도하다보니 교회들마다 모두 특징이 있다는 것을 알게 되었고 교단에 따라서도 분위기가 조금씩 다르다는 것을 느낄 수도 있었다. 또 어떤 교회는 잘하고 있는데 어떤 교회는 그렇지 못하다는 것도 눈에 보였다. 마치 사도 요한이 소아시아의 일곱 교회들을 비교해 가며 그 문젯점들을 언급했듯이 나의 눈에도 교회의 상대적인 문젯점들이 눈에 보이기 시작했다.

그런 문젯점들을 발견했을 때 나는 즉시 글로 써서 발표하고 문제를 제기하였다. 나중에 그런 글들을 모아서 책으로 묶어낸 것이 〈성경대로 살기〉였던 것이다. 사도 바울이 안디옥 교회의 파송을 받아서 열정적인 전도 사역을 하고 있을 무렵 때로는 동역자인 바나바와도 다투고 할례의 문제 때문에 베드로에게 호통을 치기도 했던 것처럼 나도 갑작스럽게 신앙에 눈을 뜨기 시작하자 성경대로 되어가지 않는 현실들과 부딪힐 때에는 가만히 있을 수가 없었다.

나는 그런 일들을 비느하스의 '의로운 분노'라고 스스로 해석했다. 이스라엘 백성들이 40년 간의 광야 행군 끝에 요단 강변에 도착했을 때 늙고 지쳐 있던 모세의 지도력에 구멍이 생겼다. 이스라엘의 족장들과 두령들이 모압 왕의 초대에 응하여 갔다가 그들의 신에게 절을 하고 이방 여인들과 음란한 일을 벌이는 사건이 일어났던 것이다. 진노하신 하나님께서 염병을 내려 이스라엘 사람들이 2만 4천 명이나 죽어가고 있었다. 이때에 청년 제사장 비느하스가 음행하던 시므온 지파의 시므리와 미디안 족장의 딸 고스비를 창으로 찔러 죽였더니 비로소 염병이 물러갔다. 하나님께서는 이 비느하스의 행동을 칭찬하셨다.

> 내가 그에게 나의 평화의 언약을 주리니 그와 그 후손에게 영원한 제사장 직분의 언약이라 그가 그 하나님을 위하여 질투하여 이스라엘 자손을 속죄하였음이니라(민 25 : 12~13)

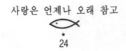

그래서 교회의 일이 성경대로 되어가지 않을 때에는 즉시 이를 거론하여 시정하는 것이 하나님을 위한 일이요 성도의 의무라고 나는 생각했다. 또 예수께서 오시기 전에 잘못된 것을 바로 잡아놓는 것이 바로 주의 길을 예비하는 길이라고 믿

었던 것이다.

그러다 보니 내가 교회에서 맡고 있던 청년부의 집회에서도 내가 그들에게 설교할 때에는 교회의 문제에 대한 긍정적인 면보다는 부정적인 사례를 들어가며 비판하는 경우가 더 많았다. 더구나 내가 맡고 있던 청년부의 이름까지도 바로 '비느하스 청년회'였던 것이다.

그래서 나는 교회의 운영이 성경대로 되지 않으면 목사님이 하시는 일이라도 비판을 서슴지 않았다. 제직회에서 내가 발언에 나서면 교인들은 저 사람이 또 무엇을 지적하려는가 주목하면서 모두들 가슴을 졸일 정도였다. 그러던 중 마침내 한가지 큰 사건이 터졌던 것이다.

다른 해에도 그랬지만 '헤브론 기도회'의 내장산 수련회에서 돌아온 후 나의 첫주는 매우 바빴다. 회사에서도 시무식을 하자마자 새해의 사업계획을 점검하는 각종 회의에 참석해야 했고 또 한편으로는 대리점을 하겠다고 찾아오는 외국 손님들을 만나느라고 몹시 바빴던 것이다. 그렇게 바쁜 한 주를 보내고 새해의 두번째 주일에 다시 교회에 나갔던 나는 교회의 강단 위에 태극기가 게양되어 있는 것을 보고 깜짝 놀랐다.

"여보, 왜 강단에 태극기가 걸려있지?"

"글쎄요…… 새해니까 무슨 행사가 있는 모양이죠."

그러나 무슨 특별한 행사가 있는 것도 아니었다. 예배가 끝나고 나서도 태극기는 여전히 무슨 교장실의 우승기처럼 계속해서 강단 위에 버티고 서 있었다. 나는 궁금해서 한 장로님을 붙잡고 물어보았다.

"장로님…… 왜 태극기가 강단에 올라가 있습니까?"

"아, 그거 아직 몰랐어요? 미국의 교회들을 보면 모두 강단에 국기가 있다구요."

장로님의 말을 들어보니 이미 그것은 신년 행사를 위해서 일시적으로 올려놓은 것이 아닌 모양이었다. 좀더 이리저리 알아보니 미국 여행을 다녀온 일부 장로님들이 그곳의 한인 교회에 가보니 강단에 태극기가 게양되어 있는 것이 보기 좋더라는 이야기를 하던 끝에 그러면 우리 교회에도 태극기를 걸기로 하자는 이야기가 나왔다는 것이었다. 나는 다시 목사님을 찾아가서 이 문제를 따졌다.

"목사님, 왜 강단에 국기를 올려놓으셨습니까?"

"글쎄…… 나도 몰랐는데 오늘 보니 국기가 있더군요."

"아니, 그럼 목사님께서도 모르셨단 말씀입니까?"

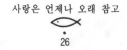

그 당시 내가 다니던 교회는 다른 몇가지 문제로 장로님들과 목사님 사이가 서먹해져서 대화가 잘 안되고 있던 시기였다. 그런 가운데 장로님들은 담임목사와 의논도 하지 않고 자기네들끼리 결정하여 그대로 시행을 했던 모양이었다. 이 일을 알게 된 나는 말도 안되는 일이라고 펄쩍 뛰었다. 일제시대에도 총독부의 지시로 교회에 일장기를 걸어놓고 동방요배를 한 적이 있다는데 이제 자진해서 국기를 강단에 걸다니 이것은 정치와 종교의 분리 원칙에도 어긋나는 일일 뿐만 아니라 하나님의 집에 세상의 깃발을 들여놓는다는 것은 천부당 만부당한 일이었던 것이다.

본래 미국에서는 합중국의 단결을 과시하기 위하여 교회에도 국기 거는 것을 좋아했는데 그것을 본 교포들이 자기네들의 교회에도 태극기를 걸기 시작했던 모양이었다. 그리고 그것은 해외에 멀리 나가있는 교포들이 고국을 그리워하는 마음에서 그렇게 한 것이라고 이해를 할 수도 있었다. 그러나 국내에 있는 교회들이 갑자기 국기를 내걸기 시작했다면 그것은 경제적으로 윤택해지기 시작한 한국 교회가 애국을 빙자한 국수주의에 물들고 있는 징조라고 볼 수밖에 없었다.

알고 보니 이런 현상은 내가 속해 있는 감리교단에서 먼저 유행되기 시작하고 있었다. 몇몇 큰 교회들이 이미 강단에 국기를 올려놓기 시작했다는 것이었다. 장로교의 일부 보수 교단에서는 십자가까지도 우상화가 될 것을 염려해서 강단에 장식하지 못하도록 규제하고 있는데 감리교회가 강단에 국기를 올려놓는다면 당장에 비판의 대상이 될 것이 뻔했다. 더구나 국기에 대한 경례를 거부하고 있는 이단 교파도 있는데 그들에게도 조소꺼리가 될 수밖에 없을 것이었다. 나는 이 문제를 더 깊이 알아보기 위하여 국기가 생긴 유래부터 조사했다.

오늘날에는 국기가 그것을 중심으로 결속된 민족 공동체를 상징하고 있지만 국기의 유래는 본래 전쟁에서부터 시작된 것이 사실이었다. 바벨탑 사건 이후로 전세계에 흩어진 민족들은 각기 자기네들이 만들어낸 신을 섬겼는데 전쟁 때마다 그 신들의 우상은 동원되었다. 즉 각 민족들은 그들의 우상을 앞세우고 전쟁에 임했던 것이다. 그러나 그들의 우상은 너무나 무거워서 전장에서 끌고 다니기에는 몹시 불편했다. 그래서 좀더 작은 우상을 만들어서 장대 끝에 달고 다녔던 것이 점차 천에 다 그려진 깃발로 바뀌게 되었던 것이다.

우상의 대용품이었던 깃발은 점차 적군과 아군을 구별하고 소속을 나타내기 위해 사용되면서 가문이나 왕권을 중심으로 한 공동체의 상징이 되었다. 국기에 정식으로 '이념'이 도입되기 시작한 것은 '자유, 평등, 박애'의 이념을 표현했던 프랑스의 삼색기가 처음이었다. 그러므로 누가 뭐래도 국기는 '구별' '전쟁' '이념' 등 정치적인 투쟁의 의미를 강하게 내포하고 있다. 이 때문에 19세기 이후에 국기를 앞세우고 아시아 지역에 들어왔던 서방의 선교사들이 어디서나 침략의 앞잡이로 오해를 받았던 것이다.

나는 다시 성경에 나오는 깃발에 대해서도 찾아보았다. 이스라엘 백성들이 광야의 불뱀에게 물려서 큰 피해를 입게 되자 모세는 마치 이방인들이 장대 끝에 우상을 달 듯이 장대 끝에다가 놋뱀을 달게 하고 그것을 바라보게 했다(민 21 : 9). 이것은 바로 장차 십자가에 달려서 구원의 표상이 되실 예수 그리스도를 예표하는 것이었다. 그래서 성경은 예수 그리스도의 깃발(사 11 : 10)을 진리의 깃발(시 60 : 4)이고 사랑의 깃발(아 2 : 4)이며 또한 심판의 깃발(렘 4 : 6)이라고 증거하는 것이다. 이렇게 성경에 나오는 그 어느 깃발에도 태극기가 해당되는 곳은 없었다. 즉 교회의 깃발은 '예수 그리스도'만으로 충분했던 것이다.

이 모든 것을 찾아본 다음에 나는 청년부 예배 시간의 설교에서 교회의 국기게양이 부당함을 지적하고 이 문제의 심각성을 설명했다. 청년회원들은 즉시 나의 말에 공감했고 다음 주에 열렸던 제직회에서 청년회장은 이 문제를 거론했다. 답변에 나선 한 장로님은 청년회장이 별 일을 다 참견한다는 듯이 말했다.

"미국의 교회들이 다 국기를 걸고 있으며…… 한국에도 그런 교회가 많이 있고 기업이나 단체의 사무실에도 다 국기가 있는데 뭐가 잘못됐다는 말입니까? 우리 민족이 이 태극기를 지키기 위해서 얼마나 많은 피를 흘렸는지 알기나 하십니까? 다만…… 담임 목사님께 보고를 못 드리고 시행한 것에 대해서는 미안하게 되었습니다."

장로님들은 태극기를 철거할 의사가 전혀 없다는 뜻이었고 이 문제는 쉽게 해결될 것 같지가 않았다. 더구나 평소에 젊은 권사들로부터 교회 치리에 대하여 비난을 많이 받고 있던 장로님들은 더 이상 밀리면 안되겠다 싶었는지 매우 강경했다. 제직회에서의 거론이 장로님들의 밀어붙이기로 별 효과가 없을 것 같아 보이자 청년회는 별도의 대책을 강구하기 시작했다.

청년회는 우선 감리교 감독회장 앞으로 교회의 국기게양 문제에 대한 공개 질문서를 발송하는 한편 그 질문서의 사본을 전교인에게 배포했다. 또 청년회는 이 문제를 확대시키기 위하여 이 사건에 대한 보도자료를 교계 각 신문에 배포했고 크리스챤 신문과 기독신보에 이 문제가 기사화되었다.

나도 물론 가만히 있지 않았다. 크리스챤 신문에 '교회의 국기게양은 성경적인가' 하는 제목으로 글을 썼고 〈현대종교〉지에도 '교회의 깃발은 그리스도'라는 제목으로 기고를 했다. '가이사의 것과 하나님의 것'을 구분해서 판결하셨던 예수님의 말씀을 들어가며 교회의 국기게양이 부당함을 따지는 나의 비판은 매우 신랄한 것이었다.

각국의 교회들이 자기네 국기를 게양한다면 태양신을 그려놓은 우루과이의 깃발, 아쇼카의 법륜을 그려놓은 인도의 깃발, 무신론의 낫과 망치를 그려놓은 공산국가의 깃발 아래서도 예배를 드리겠다는 것인가? 그대들은 저 사우디아라비아의 깃발 아래서도 예배 드릴 수 있는가? 저들의 녹색 깃발에는 흰색의 아랍어 글자가 들어있는데 그 뜻은 '알라 신 외에 다른 신은 없으며 모하메드만이 신의 유일한 예언자이다'라는 뜻이다……

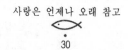

나는 이 글에서 앞으로 세계 선교에 나서야 하는 한국 교회가 오히려 국수주의로 가고 있는 것을 우려하면서 이사야 11장 10절을 인용하여 교회의 깃발은 '예수 그리스도' 뿐이라고 선언했다. 또 나는 앞으로 민족 이기주의의 만연이 사단의 큰 무기로 등장하여 또 한번 세계적인 비극을 초래하게 될는지도 모

튼다고 내다보면서 우리는 이제 더 이상 국기를 흔들며 울부짖던 약소국가가 아니니 세계 모든 형제들을 다 감싸 안을 수 있는 '큰 백성'이 되자고 주장했다. 그리고 나는 예수님의 말씀으로 어리석은 일을 벌이고 있는 교회의 지도자들에 대하여 경고했다.

> 누구든지 나를 믿는 이 소자 중 하나를 실족케 하면 차라리 연자 맷돌을 그 목에 달리우고 깊은 바다에 빠뜨리우는 것이 나으리라(마18 : 6)

그러나 이 모든 도전에도 불구하고 교회의 장로님들은 좀처럼 움직일 기미가 보이지 않았다. 마침내 청년회는 마르틴 루터의 방법을 따라 교회의 게시판에 대자보를 내걸고 본격적인 교회 정화 캠페인을 시작했다.

"교회는 만민의 기도하는 집인가, 국민의례를 행하는 곳인가?"

"하나님의 뜻이 중요한가, 민족의 의지가 중요한가?"

"교회에 국기를 건다면 교회의 일에도 국가가 간섭해 달라는 뜻인가?"

청년회의 대자보 공세는 계속되었고 대부분의 교인들은 청년들의 주장에 공감을 표시하고 있었다. 교회는 점차 청년회의 주장에 동조하는 교인들과 이에 맞서는 장로들의 대결장으로 되어갔다. 이 문제로 장로들과 청년들 사이에 몇 차례 담판이 있었으나 서로 자신들의 주장만 내세우다가 아무런 결론도 없이 끝나버리고 말았다.

결국 이 문제는 장로들과 담임 목사와의 사이에 있었던 다른 문제들과 맞물려서 석달이나 끌다가 담임 목사님이 직권으로 태극기를 철거하고 다른 교회로 옮겨가시는 것으로 끝이 나게 되었다.

마침내 이 문제가 나의 주장대로 관철되기는 했으나 이 사건의 뒷맛은 결코 개운하지 못했다. 이 일로 인해서 목사님이 다른 교회로 옮겨가시게 되었고 주님의 몸인 교회는 상처투성이로 남았던 것이다. 교회는 본래 사랑의 공동체이므로 모든 문제가 은혜스럽게 해결되는 것이 바람직했다. 그러나 비느하스의 사건을 비롯해서 성경의 곳곳에는 잘못된 일이 생겼을 때에는 이를 과감하게 시정해야 한다는 사례들도 많이 나와있었기 때문에 나는 그 이후로도 이 두 가지 개념 사이에서 많은 혼란을 느껴야 했다.

어쨌든 비록 그 결과가 다소 개운치 못하기는 했어도 국기 사건에 있어서 나는 하나님 앞에서 할 일을 다 했다고 생각했다. 나는 교회의 모든 문제가 성경에 근거해서 처리되어야 한다고 믿었다. 이 문제에 대한 내 자세가 잘못된 것이라고 할 수는 없었으나 이로 인하여 하나님께서는 나의 열정적인 신앙 속에 감추어져 있었던 또 하나의 '교만'을 문제 삼기 시작하셨던 것이다. 바로 이 문제를 가지고 사도 바울은 고린도 교회의 교우들에게 경고한 적이 있었다.

그런즉 선 줄로 생각하는 자는 넘어질까 조심하라(고전 10 : 12)

바울의 이 한마디는 훗날에 두고두고 나의 마음을 아프게 했다.

잃어버린 불기둥

한국의 정부와 국민이 모두 하나가 되어 올림픽 준비에 여념이 없었듯이 나의 경우에도 88년은 바쁜 한해였다. 〈신앙계〉에 '성경과의 만남'을 연재하는 한편으로 4부작의 〈홍수 이후〉를 집필하기 시작했으며 회사에서는 수출을 담당하게 된 첫해부터 기록적인 실적을 올린데 이어서 해외로부터의 주문이 엄청나게 늘어났기 때문에 나는 수출목표를 지난해의 세 배로 늘려 잡으면서 해외 판매망을 확장해 나가고 있었다.

그런 가운데 교회에서는 '태극기 사건'을 내 주장대로 관철시켰고 청년부장 직책과 함께 주로 권사들이 많은 제2 남선교회의 회장까지 맡아서 더욱 교회 일에 개입하는 경우가 많아지고 있었다. 그것은 바로 내가 다니던 교회가 〈40년사〉를 편찬하기로 결정하면서 시작된 사건이었다.

일제 말기에 신사참배 등 굴욕적인 사건을 겪다가 갑자기 해방을 맞은 한국의 교회들은 모두가 새로운 시대로 들어서는 아픔을 겪고 있었다. 일제에 굴복하지 않았던 이들과 해외에서 돌아온 목회자들은 한국 교회의 갱신을 부르짖으며 새 단체를 조직했고 상황의 추이를 조심스럽게 살펴보고 있던 국내파들이 회개와 부흥의 명분을 내세우며 천천히 고개를 들기 시작하면서 본격적인 교단의 대립이 시작된 것이었다.

당시에 한국 감리교회의 중앙 교단에서는 외지에서 들어온 이규갑 목사를 위원장으로 교회 갱신을 주장하고 나선 감리교 재건 중앙위원회가 조직되었고 국내에 있던 목회자들은 이에 대항하여 기독교 조선감리회 복흥 준비위원회를 조직하고 강태희 목사를 위원장에 추대하였다.

이 무렵 서대문구 천연동의 작은 셋방에서 살고 있던 내 어머니 유은덕은 남편이 출장중에 송금해 준 돈을 모아서 신설동에 아담한 한옥 한 채를 장만하였고 집 근처에 있는 성동감리교회에 출석하고 있었다. 그러나 성동감리교회도 해방 후의 파동으로 담임 목사가 사임하는 바람에 목자 잃은 교회가 되었다가 교회의 치리를 맡고 있던 장로들이 만주에서 돌아온 목사님 한 분을 초빙했다.

그러나 그 장로들 중에서 전국 장로회장직을 맡고 있던 장로 한 분이 복흥파 쪽으로 기울어지기 시작하면서 이규갑 목사와 가까웠던 신임 목사는 입장이 난처해지기 시작했다. 마침내 그 목사님은 새 교회를 개척하기로 결심했고 그를 따르기로 한 열 세 가정이 창립 예배에 참석했는데 내 어머니도 그들 중에 끼어있었다. 그것이 바로 1946년이었으므로 내 어머니가 개척에 참여했고 내가 어려서부터 다니던 그 교회는 87년부터 〈40년사〉를 준비하게 되었던 것이다.

물론 장로님 중의 한 분이 편찬 위원장을 맡았고 위원들이 구성되었는데 그때 나는 이미 교계에서도 잘 알려진 작가였기 때문에 초고의 작성을 담당하게 되었다. 그러다 보니 자료의 수집과 취재에도 자연히 내가 주도적으로 나설 수밖에 없었다. 가뜩이나 여러가지 일로 바빴던 나는 이 일 때문에 시간을 더욱 쪼개어 쓰지 않으면 안되었던 것이다. 그러나 밖의 일들 때문에 교회의 일을 소홀히 할 수도 없어서 열심히 취재에 나서곤 했으나 막상 초고를 작성하게 되면서 나는 또 한 가지 어려운 문제에 부딪히게 되었던 것이다.

공교롭게도 내 어머니가 개척에 참여하고 아버지가 괭이와 삽을 들고 나가 그 터를 닦았으며, 내가 어렸을 때 다녔던 그 교회는 상처를 많이 안고 있는 교회였다. 그것은 이 교회가 애를 써서 새 예배당을 신축해 놓은 다음에 시작되었다. 교인들 간의 하찮은 입질이 분쟁의 씨앗이 되다가 마침내 창립을 주도했던 목사님이 사임을 하고 떠난 데서부터 이 교회의 얼룩진 역사는 반복되기 시작했던 것이다.

그것은 새로 목사님을 모셔다 놓고도 교회의 설립자인 먼저 목사님을 잊지 못해서 그를 다시 모셔오고 싶어하는 교인들 때문에 시작된 것이었다. 새 목사님을 모셔올 때마다 개척 당시의 주도세력들을 먼저의 목사님과 비교하여 마음에 들지를 않아 했고 그래서 분쟁과 시비가 계속되었다. 이때 내 어머니는 계속되는 남편의 실직상태로 가사를 책임지느라 바빠서 교회 일에 끼어들지 못했으나 주도세력의 대부분은 걸핏하면 시비를 일으켜서 목사님을 내보내곤 했다.

나도 중학생이었을 때 이러한 교회의 분쟁과 분열을 목격하게 되었고 그런 기억들은 내게도 큰 상처를 남겼다. 교회라는 공동체에 대한 환멸과 불신이 나로 하여금 중학교 3학년 때에 교회와 결별하도록 만든 원인이 되었고 그것이 나로 하여금 예수 믿는 사람들에 대하여 줄곧 냉소적인 자세를 견지하도록 했던 것이다.

목사가 마음에 안 들어서 시비를 일으켜 내보내는 이런 좋지 못한 습관은 내가 교회를 떠난 후에도 계속되었고 그것은 내가 아내의 암 투병을 계기로 다시 돌아온 후에도 반복되었다. 다시는 교회로 돌아올 것 같지 않았던 내가 다시 교회에 드나들기 시작하게 되었던 것은 당시 그 교회의 부목사로 시무하던 이희준 목사님의 끈질긴 회유 덕분이었다. 또 그 분은 내 아내가 수술을 받을 때부터 쉬지 않고 기도를 해 주셨고 우리 부부는 함께 그 분에게서 초기의 영적인 양육을 받았던 것이다.

이희준 목사는 부목사로 있을 때부터 시국을 예리하게 관찰하는 안목과 중후한 인품 그리고 감동적인 설교의 메시지로 많은 교인들에게 인기를 얻고 있었다. 더구나 그는 본래 목회학을 전공해서인지 마치 목자가 양을 돌보듯이 교인들 하나하나를 어루만지며 보살피는 스타일의 목회자였다. 그는 갑작스러운 담임 목사의 소천으로 그 후임이 되면서 더욱 진면목을 발휘하기 시작했다. 교회는 경이적인 성장을 거듭하여 교회

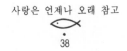

밖에는 자가용차들이 줄을 이었고 예배시간이면 1, 2층과 유아실이 모두 꽉 차고도 자리가 모자라 보조의자를 놓아야 할 판이었다.

이렇게 교회가 갑자기 성장하게 되면 목회자의 관심은 자연히 새신자 쪽에 가 있게 마련이었다. 그러면서 낯선 얼굴들이 기존 교인들보다 더 많아지게 되자 점점 소외감을 느끼기 시작한 것은 그 동안 교회를 지켜온 주체세력들이었다. 목회자의 적극적인 목회 방법과 고참 교인들의 보수적인 주장들이 마찰을 일으키기 시작했다. 결국 이희준 목사는 새 교회를 개척하기로 결심했고 나는 물론 내 어머니가 전에 그렇게 했듯이 목사님 쪽을 따르기로 결심을 굳히고 있었다.

그러나 이희준 목사님을 중심으로 개척을 추진하던 일은 이상하게도 순조롭지가 않았다. 그리고 교회의 불화로 시작된 개척은 교단의 화합에도 좋은 영향을 주지 않는다는 동료 목사님들의 만류가 있어서 이 목사님은 개척을 포기하고 이태원 교회로 옮겨가시게 되었던 것이다.

목사님이 개척을 포기하고 이태원 교회로 옮겨가시게 되자 함께 개척을 추진하던 몇몇 교우들은 목사님을 따라서 그 교회로 옮겨갔지만 나는 그대로 주저앉는 수밖에 없었다. 개척을 한다면 몰라도 단지 목사님을 따라서 교회를 옮겨다닌다는 것은 바람직하지 않다고 생각했기 때문이었다. 그러나 그 다음에 부임하신 목사님이 개인적인 사정으로 또 교회를 옮겨가시더니 그 뒤에 오신 목사님은 또 장로님들과 의견의 대립을 보이다가 그 태극기 사건과 겹쳐져서 교회를 떠나시게 되었던 것이다.

어쨌든 이래서 그 교회는 불행하게도 툭하면 목회자를 내보내는 이상한 내력이 생기고 말았다. 그것은 이미 교단 안에서도 소문이 나 있었다. 내가 감리교단에 속한 다른 교회의 간증집회에 초청되어 가면 목사님들은 내가 다니는 교회의 이름만 듣고도 떨떠름한 표정을 지을 정도였다.

내가 이 교회의 〈40년사〉를 쓰면서 어려웠던 점이 바로 그것이었다. 이러한 얼룩진 역사를 어떻게 취급하느냐는 것이 바로 내게 닥친 문제였던 것이다. 내 개인적인 생각으로는 교회의 습관이 그렇게 된 사연을 숨김 없이 밝히고 그 원인을 분석하여 다시 한번 새롭게 태어나기 위한 비전을 제시하는 것이었다. 그러나 이런 중요한 문제를 내 생각대로만 할 수는 없었으므로 우선 사실대로 작성한 초안을 편찬위원회에 제출하고 장로들에게도 사본을 배부했다. 삭제나 수정이 필요하면 편찬위원회에서 토의하여 결정하도록 하는 것이 좋으리라고 판단했던 것이다.

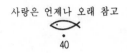

그러나 장로님들의 의견은 엉뚱한 방향으로 흘렀다. 아예 〈40년사〉를 편찬하지 말자는 쪽으로 의견이 모아졌던 것이다. 그 바쁜 중에 취재를 하고 상당한 시간을 들여가며 초고를 집필을 했던 나도 그랬지만 그 동안 열심히 자료 수집에 참여했던 청년들도 허탈해진 것은 마찬가지였다. 결국 청년들은 훗날을 위해 기록이라도 남기자면서 내가 썼던 초고를 청년회 주보에 연재하기 시작했다. 그러다가 마침내 청년회는 스스로 비용을 염출하여 〈40년사〉를 청년회 명의로 발간했다. 자료의 보존을 위해서 약식으로 편집한 것이기 때문에 사진도 넣지 않은 채 공판인쇄로 찍어낸 것이었다.

그러나 이 문제로 청년회와 장로님들 사이에는 또 한번 마찰이 일어날 수밖에 없었다. 결국 교회에서는 청년회에서 교회의 허락도 없이 멋대로 찍어낸 〈40년사〉의 배포를 중지시키고 교회에서 잔여분 전부를 매입하여 보관하기로 함으로써 사건은 매듭지어졌다. 그러다 보니 장로님들과 청년회 사이에는 점점 골이 깊어가기만 했고 청년부를 맡고 있는 청년부장이며 그 원고를 쓴 당사자였던 나 자신은 또 장로님들에게 더욱 골치 아픈 존재로 인식될 수밖에 없었던 것이다.

그 동안 내가 쓴 소설은 본격적으로 인기가 오르기 시작하여 국내뿐 아니라 해외에서도 전화가 오는가 하면 팬 레터가 쏟아져 들어오고 간증 집회에 와 달라는 초청이 줄을 잇고 있는데 정작 내가 출석하는 교회 안에서는 내 입장이 그 모양이었으니 나도 심기가 불편하기는 마찬가지였다. 물론 나는 아직 여자분들이나 젊은이들에게는 인기가 있었다. 나를 이해해 주는 젊은 권사들은 예수님의 말씀을 빌어가며 나를 위로하기도 했다.

"본래 선지자는 고향에서 인정을 못 받는 겁니다."

그러나 장로님들에게 인정을 못 받는 것은 어쩌면 나 자신에 문제가 있는 것인지도 몰랐다. 나는 늘 이 문제를 가지고 새벽기도 시간마다 기도를 드렸다. 그러나 이런 경우에 도대체 어떻게 처신하는 것이 하나님 마음에 드시는 방법인지 판단이 서지를 않는 것이었다. 하나님 쪽에서도 이렇다 할 시원한 응답이 없으셨다. 마치 이렇게 말씀하시고 계시는 것 같았다.

"뭐든지 아는 체하고 똑똑한 척하는 것 같던데 어디 한번 혼자서 풀어보려무나."

계속해서 혼란스러운 문제를 내주심으로써 아마도 하나님께서 나를 기죽이려 하시는 모양이라고 나는 혼자서 생각하는 수밖에 없었다.

그러나 진짜 어려운 문제가 곧 다시 출제되었다. 한여름의 태양이 마지막 기승을 부리고 있던 8월의 무더웠던 어느 날 수출 실적 때문에 정신 없이 뛰고 있던 나에게 기독교 방송의 간증 프로그램 '새롭게 하소서'의 담당 PD로부터 전화가 걸려왔다.

"아, 김 권사님…… 여전히 바쁘시지요?"

나는 이미 86년에 그 프로그램에 출연했었고 또 그해 11월 기독교 방송의 창사 기념 공개방송에까지 출연했었기 때문에 그 PD와는 구면이었다.

"네. 항상 그렇지요. 그런데 어쩐 일이십니까?"

"다름 아니고…… 이번 가을에 우리 '새롭게 하소서' 팀이 미국 지역의 교민들을 위해 순회 방송을 나가게 되었는데요……."

"그런데요?"

"그 동안 저희 프로에 출연했던 간증자 중에 김 권사님의 간증이 가장 반응이 좋았던 것으로 나타났습니다. 그래서 이번 미국 여행에 주강사로 모시고 가기로 결정했습니다만……."

"언제 그리고 누구 누구가 갑니까?"

"10월 하순경에 가게 됩니다. 진행을 맡고 있는 민창기 권사 고은아 집사 그리고 복음성가 가수들이 함께 가지요."

내가 듣기에 그것은 어림도 없는 일이었다. 10월이라면 전사의 영업담당들이 막바지 판매실적을 챙기기 위해서 눈에 핏발을 세우고 설칠 때인데 더군다나 회사에서 처음 시도하는 품목의 수출을 맡아서 모든 동료들과 상사들의 주목을 받으며 뛰고 있는 내가 회사일을 내버려두고 선교 여행을 나간다는 것은 말도 안되는 일이었다. 나는 가지 못한다는 핑계를 대기 위해서 한가지를 더 물었다.

"기간은…… 얼마나 되는데요?"

"미국의 동부 서부를 한 바퀴 도는데 3주 정도 걸립니다."

나는 그제서야 슬슬 사양의 뜻을 비추기 시작했다. 비록 아내가 암이 재발할 수 있는 50% 확률의 문제가 해결되었다고 하더라도 성경 속의 많은 인물들이 불순종 때문에 곤경을 치르는 사례들을 잘 알고 있었기 때문에 나는 방송국의 제의에 대하여 정면으로 거절하는 태도를 취하지 않고 상대방을 우회적으로 설득하려고 애썼다.

"저…… 잘 아시겠습니다만 기업에서는 10월이 가장 바쁜 때입니다. 영업실적 때문에 온 회사가 모두 긴장하는 시기이지요. 저로서는 도저히 어렵겠습니다."

"3주가 안된다면 2주 정도만이라도 안될까요?"

"사실은…… 단 며칠도 자리를 비울 수 없는 입장입니다."

그만하면 알아들었어야 하는데 상대방은 좀처럼 물러서려 하지 않았다.

"그러면…… 우리 기독교 방송 사장 명의로 대우 회장님께 공문을 하나 보내드리면 어떻겠습니까?"

나중에 알고 보니 그쪽에서는 그렇게 나올 만한 이유가 있었다. 그때 기독교 방송의 사장은 이재은 목사였는데 그는 기독교 방송으로 오기 전에 바로 김우중 회장의 모친인 전인항 권사가 출석하고 있던 정동감리교회의 담임 목사였던 것이다. 그때 김 회장은 모친의 권유 때문이었는지 자신은 교회에 출석을 안하면서도 정동교회의 신관 건물을 지어서 모친의 이름으로 헌납했었다. 그러니 바로 그 교회의 담임이었던 이재은 목사의 명의로 회장에게 공문을 보내면 잘되지 않겠느냐 하는 생각이었던 모양이었다.

그러나 그것도 역시 기업의 생리를 잘 모르고 하는 말이었다. 대기업의 회장실에서는 들어오는 우편물이나 공문들을 비서들이 개봉하여 분류하는데 회장이 꼭 보아야 하는 극히 중요한 것만 빼고는 대부분 비서실 중역이 알아서 처리하거나 해당 부서로 이송하는 것이 통례였던 것이다. 더군다나 10년 전만 하더라도 김 회장은 내가 근무하는 회사의 사장이었고 나는 제법 인정 받는 영업부장이어서 꽤 가까운 처지였으나 그 동안 내가 예수를 믿기 시작하면서 여러가지 이유로 인해서 승진이 늦어지는 바람에 어느새 회장과 이사라는 까마득한 사이로 멀어져 있었다.

"저…… 제발 그러지 않으셨으면 좋겠습니다. 공연히 제 입장만 곤란해지니까요."

가뜩이나 예수를 믿게 된 탓으로 여기저기서 찬밥 신세가 되었다가 이제 겨우 승진도 하고 수출담당이 되어서 서울로 복귀했는데 또 그런 일로 시끄럽게 하면 내 입장은 정말 딱하게 될 수밖에 없었던 것이다.

"하여간…… 알겠습니다."

어쩐지 그의 말투는 아직 단념하지 않은 것 같았다. 아니나 다를까 며칠 후에 사장실의 비서에게서 전화가 왔다.

"김 이사님…… 혹시 미국에 가실 일이 있으십니까?"

"왜 그러죠?"

"회장실에서 공문이 하나 내려왔는데……."

"무슨 공문입니까?"

"기독교 방송의 사장 명의로 온 것입니다."

어쩐지 찜찜하다 했더니 기어코 공문이 온 모양이었다.

"그 공문…… 지금 가지고 있습니까?"

만일 비서가 가지고 있다면 가서 찾아오려고 나는 그렇게 물었다.

"아뇨. 사장님께 결재를 올려놨는데 아마 나중에 부르실겁니다."

일이 이상하게 되어버린 것이었다. 어쨌든 기독교 방송에서 그렇게까지 나오자 나는 이 일에 대해서 좀더 신중하게 생각해 보지 않을 수 없었다. 그렇지 않아도 지금 88년에 종말이 온다느니 92년에 예수님이 재림하신다느니 하는 얘기들이 많이 나오고 있는데 정말 하나님께서 나에게 급히 시키실 일이 있는지도 모르는 것이었다.

나는 곧 여러분들에게 이 일에 대하여 자문을 구하기 시작했다. 나는 이런 신앙적인 난제가 생길 때마다 기도는 물론이고 가능한 한 많은 사람들의 의견이나 자문을 받아서 그것을 성경의 내용과 비교해 가면서 결정이나 판단을 해 왔다. 왜냐하면 하나님께서는 자주 사람의 입을 통해서도 그 분의 의향을 가르쳐 주시기 때문이었다.

나는 또 이런 일에 대해서 나보다 신앙의 경륜이 오래된 어른들뿐만 아니고 때로는 믿음이 신실한 후배에게까지도 자문 얻기를 주저하지 않았다. 영화 '쿼바디스'에서는 베드로가 어린아이의 입을 통해서 나오는 예수님의 음성을 듣고 자신의 사명을 깨닫는 장면도 있었던 것이다. 그러나 이런 자문을 통해서 내가 들은 답변들은 모두 한결 같은 것이었다.

"직장의 일을 내버려두고 미국에 간다는 것은 옳지 않은 일 같습니다."

또 어떤 분은 이런 충고도 해 주었다.

"권사님의 간증을 들어보면 권사님은 자신이 받은 달란트 즉 글 쓰는 재능으로 하나님께 영광을 돌리는 것이 사명임을 깨달았다고 하시더군요. 미국 선교도 중요하겠지만 역시 권사님께서 하실 일은 글을 많이 쓰시고 글로써 선교활동을 하는 것이 더 중요하지 않겠습니까?"

그것도 맞는 말이었다. 적어도 하나님께서 나에게 바라시는 일이 글을 쓰는 일이라는 것만큼은 분명한 것이었다. 간증집회에 다니는 일도 물론 중요하겠지만 본래의 사명인 '글을 쓰는 일'을 제쳐놓고 그것에 몰두한다면 본말이 전도되는 일일 수도 있었다.

어쨌든 나는 이 일을 좀더 신중하게 처리하기 위해서 목사님께도 자문을 구했다. 이런 경우에 내가 특히 목사님들에게 자문을 구하는 이유는 혹시 나중에 그런 자문을 얻어서 도출해 낸 결론이나 판단이 틀렸을 경우에도 '당신의 종이 그렇게 가르쳐 주었지 않습니까?' 하고 변명할 수가 있기 때문이었다. 나는 최종적으로 이재철 전도사의 자문을 구하기로 했다.

이재철 전도사는 본래 '홍성사'의 사장으로 일하던 중 갑자기 장로회 신학대학에 입학을 한 분인데 이미 88년 봄에 졸업을 하고 영락교회의 교육전도사로 일하면서 또 '주님의 교회'를 개척하여 단독 목회까지 겸하고 있었다. 필자와는 〈땅끝에서 오다〉로부터 시작하여 〈땅끝으로 가다〉〈제국과 천국〉 등을 '홍성사'에서 출판하면서 이미 꽤 가까워져서 자주 대화를 나누고 있는 처지였던 것이다.

또 '새롭게 하소서'의 MC로 함께 가게 되어 있는 고은아 집사는 그 본명이 이경희로 이재철 전도사의 친누님이기도 해서 이 일과도 간접적으로 관련이 있기 때문에 그의 자문을 구하는 것은 여러가지로 의미있는 일이었던 것이다. 내가 전화로 전후 사정을 설명하자 그는 잠시 생각하는 듯하더니 그의 의견을 말하기 시작했다.

"제가 보기에 사람들이 김 권사님의 간증을 듣고 감동하는 이유 중의 하나는 바로 김 권사님께서 성실한 직장인이면서 또한 훌륭한 작품들을 써냈다는 놀라운 사실 때문이라고 생각합니다…… 그러므로 직장의 일에 성실하게 임하는 것이 우선이겠지요. 또…… 미국뿐만이 아니라 직장도 우리에게는 중요한 선교 사역의 현장이 아니겠습니까?"

그의 결론도 역시 같은 것이었다. 나는 처음에 했던 내 생각이 옳았다는 확신을 얻게 되었다. 사실 내게 있어서도 하나님의 일을 위해서 더군다나 아나운서, 영화배우, 가수들과 함께 선교여행을 간다는 것은 즐거운 일이라고 할 수 있었다. 내가 싫어서 안 가겠다는 것은 결코 아니었다. 하지만 개인적으로 하고 싶은 그런 일들을 사양하고 일터에서 성실하게 일하는 것이 오히려 하나님의 뜻에 맞는 일이라고 나는 판단했던 것이다.

나는 곧 그 일을 잊어버리기로 하고 예정했던 대로 유럽과 미국의 대리점들을 순회하며 판매독려를 하기 위한 출장계획을 잡기 시작했다. 출장 품의서를 작성하고 결재를 받기 위해 사장실에 들어가자 사장님은 출장 품의서를 들여다보더니 나를 물끄러미 바라보았다.

"기독교 방송 일은 어떻게 할겁니까?"

85년에 새로 부임한 이 분은 전의 사장과는 달리 내 입장을 많이 이해해 주는 분이었다. 사실 그래서 나는 그 앞에서 더 어려워하는 편이었다.

"사장님께서도 아시다시피 10월이면 영업이 제일 바쁜 때가 아닙니까? 갈 형편이 아니지요."

그러나 회장실에서 공문이 내려왔기 때문인지 사장님은 한 마디 더 했다.

"한번 가보지 그래요?"

사장님은 아무래도 그 공문이 회장실에서 내려왔다는 것 때문에 마음에 걸리는 모양이었다. 나는 사장님을 안심시키기 위해서 한마디 더 했다.

"이렇게 하지요. 사장님께서는 허락을 하셨는데 제가 사정이 있어서 안 가는 것으로 답변을 보내겠습니다."

이미 여러 군데서 자문을 받았기 때문에 나는 안 가는 쪽으로 확실하게 마음을 굳히고 있었던 것이다. 그제서야 사장님은 고개를 끄떡이며 출장 품의서에 결재를 해 주었다. 나는 사장실에서 나오는 길로 부하 직원에게 출장수속을 밟도록 지시하고 나서 기독교 방송의 담당 PD를 찾았다.

"저…… 보내주신 공문이 회장실을 거쳐서 저희 사장실로 내려왔더군요."

"어떻게 되었습니까?"

"저희 사장님은 괜찮으면 가보라고 말씀하셨습니다만……

제가 도무지 못 갈 입장입니다."

"아니…… 사장님이 괜찮으시다고 했다면서 왜 못 가십니까?"

"회사 형편 때문에…… 제가 도무지 몸을 빼낼 수가 없군요."

무더운 날씨이기도 했지만 나는 이마에 진땀을 흘리고 있었다. '그 피를 우리와 우리 자손에게 돌릴지어다' 하며 자신들이 모든 책임을 지겠다고 외치던 예루살렘 백성들의 장담이 생각났기 때문이었다.

"아니 단 2주만이라도……."

나는 이제 정말 짜증이 나고 있었다.

"글쎄, 안된다니까요."

상대방은 더 이상 말해 봤자 소용없겠다고 느꼈는지 알았다면서 전화를 끊었다. 어쩌면 이렇게 남의 사정을 몰라주는 것인지 답답하기만 했다. 어쨌든 이제 다 끝났으려니 하며 출장 준비를 하고 있는데 전화가 또 왔다.

"저…… 김 권사님, 저희 사장님께서 통화를 좀 하시겠답니다."

"엣……?"

사장이라면 바로 그 이재은 목사님을 말하는 것이었다. 수화기에서는 잡음이 섞여서 들려왔다. 카폰인 모양이었다. 이미 수화기에서는 이재은 목사님의 목소리가 흘러나오고 있었다.

"김 권사님, 나 이재은 목삽니다."

"아…… 안녕하십니까?"

"자꾸 부탁해서 미안합니다만 많은 재미 교포들이 김 권사님을 보고 싶어하는 모양입니다…… 공문도 보내드렸고 사장님도 양해하신다니 어지간하면 가도록 해 보시지요."

나는 혼자서 고개를 가로 저었다. 많은 선배와 후배들의 도움말, 그리고 이재철 전도사의 의견, 또 나대로의 양심과 판단 등으로 중무장을 하면서 말했다.

"사장님…… 대단히 죄송합니다만 저희 회사 사정이 도저히 그럴 수가 없어서 못 가겠습니다."

"어떤 사정인지는 모르지만…… 그것이 꼭 김 권사께서 계시지 않으면 안되는 일인가요?"

"그렇습니다."

"알겠습니다."

나는 수화기를 내려놓고 또 한번 심호흡을 해야 했다.

(이거 차라리……)

차라리 회사고 뭐고 다 그만두고 선교활동에 나서는 편이 마음 편하겠다는 생각이 들기도 했다. 사실 나는 이미 83년에 회사를 그만두겠다는 생각을 한 적이 있었다. 그것은 바로 소설 〈땅끝에서 오다〉가 한국일보에 연재되기 시작했을 때였다.

어느 날 나는 한국일보에 들렀다가 집으로 돌아가는 길에 아예 직장을 그만두고 소설을 전적으로 쓰는 것이 낫겠다는 생각이 들었다. 그때만 해도 나는 직장에서 여러가지 수모를 받고 있던 때였다. 예수를 안 믿던 때에는 유능한 영업부장으로 회장의 신임을 받으며 한창 날렸었는데 이상하게도 예수를 믿기 시작하면서부터 주위의 사람들이 나를 곱지 않은 시선으로 바라보고 있었던 것이다.

그런데 오히려 소설 쪽에서는 매사가 순조로웠다. 연재 중인 소설은 날로 인기가 높아갔고 출판사들이 계약을 하자고 몰려들었다. 한국일보의 고료도 그런대로 괜찮은 편이어서 그만하면 소설 집필에만 전념하더라도 최소 수준의 생활은 될 것 같았다. 번개 같은 생각이 머리를 스쳐갔다.

(회사를 그만두고 하나님의 일에 전념하는 것이 하나님의 뜻일는지도 모른다!)

더구나 나는 아직 아내의 재발 가능성 50% 때문에 늘 전전긍긍하며 하나님의 눈치를 살피던 때였다. 한국일보의 연재도 사실 거의 불가능한 것이었는데 하나님께서 이를 기적적으로 이루어 주셨던 것이다. 그렇다면 앞으로의 생계도 하나님께서 책임져 주시지 않겠는가?

(주여…… 당신의 뜻이라면 따르겠나이다.)

나는 택시의 뒷좌석에서 눈시울이 뜨거워오고 있었다. 절망의 구렁텅이에서 건져내어 지금까지 이끌어 오신 하나님의 은혜에 감사하며 나는 이미 순종의 결단이 되어 있었다. 나는 집에 도착하자마자 아내를 불러 앉히고 내 생각을 말했다.

"여보…… 원고료도 이 정도면 생활이 될 만하니 아예 직장을 그만두고 하나님의 일을 전적으로 하면 어떻겠소?"

그러나 의외로 아내의 저항은 매우 완강했다. 말도 안되는 소리라는 것이었다. 아이들이 아직 국민학교 5학년 4학년 1학년이고 이제부터 정작 생활비가 많이 들어갈 시기인데 지금 직장을 그만두면 어떻게 하겠다는 말이냐고 아내는 따졌다.

"그야…… 하나님께서 알아서 해 주시겠지."

"그게 바로 맹신이라는 거예요. 자기가 할 일은 해 놓고 하나님의 도우심을 기다려야지 하나님께서 뭐 돈 주시는 은행장인가요?"

"아무 것도 안하는 것이 아니라 소설을 쓰지 않소?"

"소설을 쓴다고 또 신문 연재가 된다는 것을 어떻게 보장해요?"

"그야…… 또 기도하면 되겠지."

아내는 내 생각이 상당히 굳어져 있는 것을 보고 혼자 힘으로는 안되겠다 싶었는지 시어머니의 응원을 청했다. 아내의 전화를 받고 달려오신 어머님은 나를 조용 조용히 타이르기 시작했다.

"네가 그만큼 믿음이 생긴 것은 기쁜 일이지만…… 무리하게 서두르다가 네 처가 그 일로 충격을 받아서 또 병이 도지기라도 하면 어떡하니?"

"그러나 하나님의 일도 때가 있지 않겠습니까?"

"하나님께서는 네가 교회를 떠나있는 동안 20여 년도 더 참으셨는데 너희 살림이 좀더 안정될 때까지만이라고 좀더 참아주실 수 있겠지…… 나도 그 일을 위해 기도할테니 이번만은 네 처의 의견에 따라주면 좋겠다."

나는 아내가 충격을 받아서 병이 재발하면 어떡하느냐는 어머니의 말씀에 마음이 약해질 수밖에 없었다. 결국 택시 안에서 하나님의 일만 전념하겠다고 결심하며 눈물을 글썽거렸던 내 생각은 아내와 어머니의 연합작전으로 꺾이는 수밖에 없었던 것이다.

나중에 세월이 지나면서 나는 그때 아내와 어머니의 만류가 옳았었다는 것을 깨닫게 되었다. 왜냐하면 나는 그 이후로 계속해서 〈땅끝으로 가다〉〈제국과 천국〉〈홍수 이후〉 등 많은 소설을 썼는데 이 소설들은 모두 회사의 업무로 인한 출장 중에 소재를 얻고 자료를 수집해서 쓴 작품들이기 때문이었다. 만일 내가 그때 회사를 그만두었다면 그 다음의 작품들은 태어나기가 어려웠을 것이다.

더군다나 내게는 또 한가지의 기이한 체험이 있었다. 나는 〈땅끝에서 오다〉가 한국일보에 연재되기 시작하자 한 가지 소원을 가지고 하나님께 기도를 드리고 있었다. 그것은 곧 예루살렘 성지를 한번 가 보고 싶다는 소원이었다. 그 동안 회사의 업무 때문에 해외 각지로 출장을 다니다 보니 많은 나라들을 여행하고 구경할 수 있었는데 오직 예루살렘만은 가볼 기회가 없었던 것이다. 더군다나 중동 사태는 항상 유동적이어서 언제 그쪽 지역이 불바다가 될는지 모르는데 자칫하면 예루살렘 구경도 못하고 종말이 올는지도 모르는 것이었다.

더구나 소설 〈땅끝에서 오다〉에서는 주인공 임준호 대리가 리비아와 프랑스의 파리 그리고 아테네와 베이루트를 거쳐서 예루살렘으로 들어가게 되는데 예루살렘에 못 가본 나는 성지에 다녀온 사람들로부터 이야기를 듣고 그에 관한 자료들을 면밀히 검토하여 소설을 쓸 수밖에 없었다. 그러나 이제 연재가 시작되고 이 소설이 화제가 되면 많은 사람들이 나에게 예루살렘에 다녀왔느냐고 물어볼 터인데 그때에 작가가 현지에 가보지도 못하고 글을 썼다면 글의 신뢰성은 고사하고 작가의 체면도 말이 안되는 것이었다.

그래서 나는 하나님께 이 소원을 두고 기도드리면서 혹시 근처의 나라에 출장 갈 일이 생기면 돌아오는 길에 예루살렘을 거쳐서 들어오려고 기회를 노리고 있었다. 그리고 마침 그 기회는 왔다. 신문 연재가 시작되어 마악 장안의 화제가 되고 있던 83년 5월의 셋째주였다. 나는 영국의 만체스터에 있는 GEC라는 회사와 협상할 일이 생겼는데 월요일부터 협상을 시작하고 수요일에 서울에서 오는 부사장과 합류하여 협상을 매듭지으면 금요일 오전에는 서울로 돌아오는 비행기를 타게 되어 있었다.

금요일 오전에 비행기를 타면 서울에 도착하는 것은 토요일이었다. 그렇게 되면 어차피 일요일을 지내고 월요일에 출근하는 수밖에 없었다. 그러나 협상이 순조로워서 목요일 오전이면 끝날 것이 뻔했다. 그렇다면 나는 목요일 오후에 로마를 거쳐 예루살렘으로 날아가서 번갯불에 콩 구워 먹듯이 예루살렘을 뛰어서 한 바퀴 돌고 토요일 오전에 비행기를 타면 일요일 밤에는 서울에 도착할 수가 있었다. 그렇게 해서 내가 월요일 아침에 출근하면 나는 감쪽같이 그 틈새에 예루살렘을 구경할 수 있게 되는 것이었다.

"오, 주여 감사합니다. 내 기도를 들어주셨군요!"

나는 출장가면서 예루살렘을 돌아오는데 추가로 티켓 요금을 달러로 준비하고 떠났다. 예상대로 만체스터에서의 협상은 순조로웠다. 수요일에 부사장이 와서 최종 마무리만 하면 미팅은 간단히 끝나게 되어 있었다. 나는 호텔 방에서 부지런히 전화를 걸어 예루살렘을 돌아서 서울로 들어가는 항공편을 예약하고 있었다.

그러나 화요일 아침에 청천벽력의 소식이 날아들었다. 수요일에 올 예정이었던 부사장이 부산 지하철 관계로 문제가 생겨서 목요일에나 온다는 것이었다. 내가 그렇게도 고심을 해가며 만들어 놓았던 예루살렘 방문계획이 그만 수포로 돌아가게 되었다. 나는 로마를 거쳐 예루살렘으로 들어가는 비행기 예약을 모두 취소하면서 혼자 울분을 터뜨렸다.

"주여…… 제가 잠깐 예루살렘을 좀 보겠다는데 뭘 그렇게 인색하게도 허락을 안해 주십니까!"

이미 내가 할 일은 거의 다 해 놓았으므로 수요일에는 더 이상 할 일이 없어서 빈둥거리며 시간을 보내야 했다. 만체스터 시내를 구경할 마음도 없었다. 그냥 호텔 방에서 뒹굴면서 혼자서 속을 부글부글 끓이고 있었던 것이다. 그렇게 해서 목요일에 도착한 부사장과 협상을 매듭 짓고 나는 금요일에 파리를 거쳐서 서울로 돌아오는 수밖에 없었다.

파리를 거쳐서 서울로 들어가는 비행편은 오를리 공항에 일단 내려서 샤를 드골 공항에서 출발하는 비행기로 갈아타게 되어 있었다. 바로 〈땅끝에서 오다〉의 임준호 대리가 오를리 공항에 내려서 트리폴리로 가는 비행기를 타기 위해 샤를 드골 공항으로 향하던 그 코스로 내가 리무진 버스를 타고 가게 되었던 것이다.

그러나 리무진 버스가 세느 강을 건너서 샤를 드골 공항으로 향하고 있을 때 나는 깜짝 놀랐다. 임준호 대리가 택시를 타고 달리던 그 길이 내가 소설에서 쓴 것과 전혀 달랐던 것이다. 본래 내가 〈땅끝에서 오다〉를 쓸 때에는 몇년 전 파리에 출장 갔을 때의 기억을 더듬어서 쓴 것이었다. 그런데 내 기억에 착오가 있었던 것이다.

내가 다시 확인한 샤를 드골 공항의 터미널은 에어 프랑스 전용의 제2 터미널과 기타 항공이 사용하는 제1 터미널로 나뉘어져 있었다. 그런데 내가 쓴 소설에서는 두 공항을 한데 뒤섞어서 썼을 뿐만 아니라 임준호가 도착했던 제1 터미널의 구조도 내가 기억했던 것과는 많이 달랐던 것이다. 나는 속으로 지금 한국일보에 연재되고 있는 소설이 어디까지 나갔을까를 계산해 보았다. 내 계산으로는 틀림없이 지금쯤 임준호는 앵커리지를 거쳐서 오를리 공항을 향해 날아오고 있을 것이었다.

비행기가 서울에 도착할 때까지 내내 나는 조바심을 하고 있었다. 그리고 김포 공항에 내리자마자 나는 한국일보로 달려가서 원고를 찾아내어 뒤적거렸다. 공항으로 가는 파리의 도로며 공항 안에서 벌어지는 사건들이 엉망진창으로 틀려진 원고를 집으로 가져와서 허겁지겁 그것을 고쳤다. 나는 등에 식은 땀이 흐르고 있었다.

(만일 이 틀려진 것이 신문에 인쇄되어 나갔다면 어떻게 할 뻔했는가!)

프랑스의 파리에도 한국일보는 들어가고 있었다. 파리의 한국 교민들이 그것을 읽는다면 김성일이라는 작가는 형편 없는 3류로 전락하는 것은 물론이요 한국일보까지도 덩달아서 망신을 하게 될 뻔했던 것이다. 그야말로 한국일보의 파리 특파원이 본사에 항의라도 할 만한 일이었다.

(큰일 날 뻔했어!)

결국 아슬아슬하게 원고는 수정되었다. 나는 그제서야 왜 부사장이 만체스터에 늦게 오게 되었으며 왜 하나님께서 내게 예루살렘 구경을 못하도록 하셨는지 깨닫게 되었던 것이다. 또 만일 그때 내가 회사를 그만두었더라면 만체스터에 갈 일도 없었을 것이고 소설에 나오는 파리의 묘사가 틀렸다는 것도 발견하지 못했을 것이었다.

그때서부터 나는 가정의 중요한 일을 결정할 때에 아내의 의견을 존중하기 시작했다. 베드로는 어린아이가 하는 말에서도 예수님의 음성을 들었는데 하물며 아내는 하나님께서 '돕는 배필'로 주신 자였다. 그런데도 아내의 말을 무시하고 혼자서 모든 일을 결정한다면 이는 잘못된 판단이 되기가 십상일 것이기 때문이었다.

이런 일이 있었기 때문에 그 후로 나는 회사를 그만둔다든가 하는 일을 좀처럼 입에 담지 않고 있었다. 혹시라도 그런 생각이 있어서 그것을 아내와 의논한다 하더라도 아내는 첫마디에 'NO' 할 것이 뻔했기 때문이었다. 그래서 다음부터는 직장에서 어떤 어려운 일이 있더라도 혼자서 참고 삭이는 훈련을 하게 되었던 것이다.

어쨌든 나는 기독교 방송의 선교팀을 따라 미국에 가는 일을 마무리 지은 셈이었다. 그러나 이상하게도 내 마음은 개운하지가 않았다. 기독교 방송 사장인 이재은 목사의 간곡한 음성이 자꾸만 머리속에 맴돌았다. 나는 많은 사람들에게 자문을 구했고 이재철 전도사의 의견도 들었다. 그러나 이재철 사장은 전도사이고 이재은 사장은 목사가 아닌가? 목사의 부탁을 거절했다는 것이 또 자꾸만 마음에 걸리는 것이었다.

유럽으로 출장을 나가는 전날 나는 비행기 티켓과 여권을 챙겨넣고 퇴근하는 길에 차 안에서 버릇대로 기독교 방송의 버튼을 눌렀다. 카랑카랑한 설교말씀이 흘러나오고 있었다. 설교말씀의 본문은 바로 '요나서' 였다. 선지자 요나는 니느웨로 가서 하나님의 말씀을 전하라는 하나님의 명령에 불복하여 다시스로 가다가 풍랑을 만났다는 이야기였다.

"여호와의 말씀이 아밋대의 아들 요나에게 임하니라 이르시되 너는 일어나 저 큰 성읍 니느웨로 가서 그것을 쳐서 외치라 그 악독이 내게 상달하였음이니라 하시니라 그러나 요나가 여호와의 낯을 피하려고 배에 만난지라 여호와의 낯을 피하여

함께 다시스로 가려고 선가를 주고 배에 올랐더라……"(욘 1 : 1~3)

갑자기 무서운 생각이 들기 시작했다. 요나는 하나님의 명령에 순종하지 않고 다시스 즉 지금의 스페인으로 가는 배를 탔는데 내 주머니에는 지금 유럽으로 가는 비행기 티켓이 들어있는 것이었다. 아무래도 이것은 우연이 아닌 것 같았다. 라디오를 켜자마자 그 말씀이 흘러나왔다는 것이 나를 두렵게 했던 것이다.

(그렇다면 미국으로 가지 않겠다는 내 판단이 틀렸단 말인가!)

만일 이 '요나서'의 말씀을 주제로 한 설교말씀이 나에 대한 경고라고 한다면 요나가 탔던 배는 풍랑을 만났다. 배의 선장은 이 재앙이 누구 때문인지 알아본다고 제비를 뽑았는데 요나가 뽑혔다. 요나는 자신이 하나님의 명령을 불복했다는 것을 고백하고 바다에 던져지게 되었다. 요나는 큰 물고기에게 삼켜져서 그 뱃속에 사흘을 갇혀있다가 회개의 기도 끝에 다시 물고기가 그를 토해 놓는 바람에 해방되어 결국은 니느웨로 가게 되었다는 이야기였다.

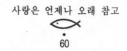

특히 요나가 탔던 배가 풍랑을 만났다는 것이 나를 떨리게 했다. 출장길에서 비행기를 갈아탈 때마다 나는 이 비행기가 떨어지거나 혹은 납치되는 것이 아닌가 하고 겁을 먹었다. 그 출장에서는 유난히도 비행기를 많이 타게 되어 있었다. 런던에서 코펜하겐으로 거기서 다시 오슬로와 암스텔담을 들러서 미국의 뉴욕으로 들어가게 되어 있었다.

나는 뉴욕의 호텔에서 서울 올림픽의 개막식을 TV화면으로 보았다. 나는 언젠가 이 뉴욕에서 보는 서울 올림픽의 개막식을 소설의 소재로 삼아야겠다고 생각하며 그 장면을 비디오 테이프에 녹화했다. 이것이 나중에 국민일보에 연재되었던 소설 〈땅끝의 시계탑〉에 사용되었던 것이다.

나는 또 뉴욕의 한 극장에서 그때 개봉되었던 말썽 많은 영화 '그리스도 최후의 유혹'을 보았다. 예수가 사탄의 유혹으로 십자가에서 내려와 막달라 마리아와 결혼한다는 카잔차키스의 소설은 또 그런대로 여러가지 케이스를 상상해 보는 소설가의 한가지 가설로 보아넘길 수 있을는지 모르나 내가 보기에는 영화를 연출한 마틴 스코시스의 장난이 더 문제였다. 그는 예수를 완전히 인도의 한 수도승처럼 표현했던 것이다.

우선 영화의 배경부터가 이스라엘인데도 불구하고 인도를 연상케 하고 있었다. 터번을 쓴 사람이 많이 등장하고 세례 요한이 요단 강에서 세례를 주는 장면은 갠지스 강에서 인도 사람들이 몸을 씻는 광경을 그대로 옮겨다 놓은 것이었다. 여인들의 모습도 미간에 '빈디'를 그린 인도 여인의 모습이 많고 광야에서 사탄의 시험을 받기 위해 기도를 하는 예수의 모습도 석가와 같은 결가부좌의 자세였다. 뿐만 아니라 예수를 유혹하는 사탄은 뱀의 모습으로 나오는데 그것은 인도의 흔한 뱀인 '코브라'였다.

결국 마틴 스코시스 감독은 예수를 인도의 수도승이나 부처의 제자로 격하시키려는 음모에 가담하고 있음에 틀림없었다. 그것은 또 그 이후로 전세계를 휩쓸기 시작한 뉴 에이지 운동의 일부이기도 했다. 예수를 없애고 바벨론적 환생설로 사람들을 미혹하려는 사탄의 이 대중문화 운동은 바로 힌두이즘을 근간으로 하고 있었던 것이다. 그야말로 어떤 사람들이 말하는 것처럼 이 88년부터 이미 종말이 시작되는 것인지도 몰랐다.

뉴욕에서의 업무 협의와 대리점 방문을 끝으로 출장을 마감한 나는 케네디 공항에서 서울행 KE 025편을 타면서도 아직 그 '요나의 공포'를 떨쳐버리지 못하고 있었다. 이미 북한은 서울 올림픽을 방해하기 위하여 김포 공항의 폭파사건을 터뜨렸고 중동에서 서울로 들어오는 KE 858기를 폭파시킨 일이 있었다.

이제 철통 같은 경비 속에서 서울 올림픽이 개막되기는 했으나 언제 또 북한의 공작원이 비행기를 납치하거나 폭파할는지 모르는 것이었다. 그리고 특히 그 대상은 대한항공의 비행기였는데 나는 그 대한항공을 타고 서울로 들어가게 되어 있었던 것이다. 비행기에 올라타는 짧은 머리의 한국인만 보면 혹시 북한 사람이 아닐까 하고 섬뜩한 마음이 들기도 했다.

이런 나의 두려움은 비행기가 김포 공항에 도착할 때까지 내내 계속되고 있었다. 다행히 비행기는 무사히 김포 공항에 도착했다. 비행기가 활주로에 내려서 보딩 브릿지 앞에 완전히 멈추어 설 때까지 나는 마음을 졸이고 있었다. 나는 비행기에서 내리며 마음속으로 부르짖었다.

(주여, 가르쳐 주소서. 정말 제가 잘못 판단한 것입니까?)

그러나 하나님께서는 침묵하고 계셨다. 나는 이것으로 이 문제는 이제 그만 잊어버리고 싶었다. 나는 서울에 돌아와 출장 갔던 일을 정리하는 한편 계속해서 〈홍수 이후〉를 써 나갔고 연재 중인 '성경과의 만남'을 쓰고 있었다. 그러나 하나님 쪽에서는 이 일에 대한 시비가 다 끝난 것이 아니었다. 하나님께서는 그 후로도 계속해서 이 문제에 대해서 나를 추궁하고 계셨던 것이다.

광야의 바람소리

높여 잡은 수출 목표를 달성하기 위해서 해외 대리점들을 독려하고 돌아왔을 때 나는 뜻하지 않은 난관에 봉착하기 시작했다. 내가 수출을 담당하고 있던 건설 중장비의 국내 수요가 폭발적으로 늘어나고 있어서 수출 물량 공급에 문제가 생겼던 것이다. 본래 어떤 품목이든 국내 수요가 많아지면 수출에 돌아오는 물량은 줄게 마련이었다.

대개 수출 가격이란 해외의 내노라 하는 유명 메이커들과 경쟁을 하기 때문에 한국처럼 정부가 보호해 주는 국내 시장에서 받을 수 있는 가격보다 훨씬 낮아야 했다. 더구나 수출 초기에는 새로운 시장을 개척하고 시장 점유율을 높여가기 위해서 적자를 감수하는 수밖에 없었다. 그런 형편에서 유리한 가격으로 팔 수 있는 국내 시장의 수요가 늘어난다면 수출에 할애되는 물량은 줄어드는 수밖에 없었던 것이다.

국내 시장의 건설 경기가 좋다는 것을 처음부터 몰랐던 것은 아니었다. 그러나 나는 그 호황이 올림픽 대회의 준비 때문에 늘어난 일시적인 것으로 생각했다. 일단 올림픽 준비가 다 끝나면 국내의 건설 경기는 다시 원상으로 돌아가고 건설장비의 국내 수요도 진정될 것이라 예측했던 것이다. 일본의 예를 보더라도 64년의 동경 올림픽이 개막될 때까지 건설 경기가 상승하다가 대회가 시작되면서 급격히 하강했던 것이다.

내가 계획한 수출 프로그램이 발진한 것은 87년부터였으나 본격적인 수출 물량의 증가는 올림픽 대회가 열리는 88년 하반기부터 시작하는 것으로 되어 있었다. 그래서 나는 이 프로그램을 한국 최초의 건설장비 수출이라는 자부심과 함께 안심하고 출범시켰던 것이다. 그러나 올림픽이 시작되면 일본의 전례처럼 건설 경기가 원상으로 복귀할 것이라던 내 예측은 빗나갔다. 그것은 바로 88년에 취임한 노태우 대통령이 선거 때에 내세웠던 '주택 2백만 호 건설'의 공약 때문이었다.

처음에는 아무도 그 무리한 공약을 실천 가능성이 있는 것이라고 믿지 않았었다. 그러나 새 정권은 정말 그 계획을 곰처럼 밀고 나가기 시작했고 건설 경기의 과열은 오히려 올림픽 대회 이후부터 본격화되었다. 국내의 건설장비 수요가 폭발적으로 증가하여 구매계약을 하더라도 1년 후에나 장비를 받아갈 수 있게 되었다. 생산계획을 세울 때마다 국내 영업담당과 수출담당은 서로 물량을 더 가져가기 위해 목소리를 높여가며 싸우게 되었다. 그럴 때마다 언제나 불리한 것은 판매가격이 낮은 수출 쪽이었다.

전화통에 불이 나기 시작했다. 일본 업체와의 관계를 끊고 새로 진출한 한국의 메이커와 모험적인 대리점 계약을 했던 해외 바이어들이 전화로 아우성을 치기 시작했던 것이다. 더구나 대리점들은 계약을 맺은 후로 신기종의 부품 비축과 새 상표의 사전 홍보 때문에 상당한 투자를 하고 있었다. 그렇게 해서 이제 막 고객들의 주문이 들어오기 시작하는데 이쪽에서 그들이 요구하는 물량을 보내주지 못하는 사태가 발생했던 것이다. 나는 회사의 고위층들을 찾아다니며 수출의 중요성을 설명하고 최소한의 물량을 배정해 달라고 간청했다.

"정부에서 언제까지나 이 품목을 보호해 주지 않을 것입니다. 해외로부터 시장개방의 압력이 거세어지고 있어 조만간 수입개방이 될텐데 지금의 국내 가격이나 품질로는 해외 메이커들과 경쟁이 안됩니다. 지금부터 수출 시장에 뛰어들어 경쟁력을 키워야 합니다."

"글쎄 그건 잘 알지만…… 이런 호황이 오래 가겠습니까? 해외 대리점들에게 조금만 더 참아달라고 달래세요."

"조금만 더 참아달라고 한 것이 벌써 언제부터입니까? 올림픽이 시작되면 물건을 보낸다고 굳게 약속했는데 아직도 못 보내고 있지 않습니까?"

"좀더 설득해 보세요. 나도 수출을 많이 해 보았는데 언제나 수출 담당은 국내 담당과 싸워가며 물량을 얻어가게 마련이지요."

"아시다시피 우리의 해외 대리점들은 모두 중소기업입니다. 물량 공급이 이렇게 늦어지면 지금의 자금 능력으로는 더 이상 버티기가 어렵습니다."

아무리 설득을 해도 국내에 팔면 상당한 이익을 챙길 수 있는 입장에서 적자를 감수하며 팔아야 하는 수출 쪽에 물량을 더 주자고 동의하는 간부는 아무도 없었다. 나와 함께 수출을 담당하고 있던 수출부서의 부하직원들도 모두 전전긍긍이었다. 전화의 벨이 울릴 때마다 수화기를 들고 싶지 않아서 서로 미루고 피할 정도였다. 원래 국내외를 막론하고 건설장비 업자들은 성격이 거친 편이어서 한번 시작했다 하면 별난 욕설이 다 튀어나왔다. 영어로 욕설을 듣는다는 것이 얼마나 치욕스러운 일인가를 수출부서의 엘리트 사원들은 실감하고 있었다.

내수와 수출의 물량 배분 때문에 싸움이 붙게 되면 이를 최종적으로 중재하는 결정권자는 사장이었다. 나는 결국 사장실로 뛰어들어가는 수밖에 없었다. 그러나 사장의 입장도 역시 마찬가지였다. 한국의 기업들처럼 수시로 사장을 바꿔치는 풍토에서는 사장도 장기적인 포석보다는 오히려 그해의 경영실적에 더 관심을 갖는 수밖에 없었고 그러자니 자연 이익이 많이 남는 국내 쪽에 조금이라도 더 팔아야 하는 입장이었던 것이다.

"사장님, 이러다간 곧 후회하실 날이 오게 됩니다."

"너무 급하게 생각하지 맙시다. 국내 경기는 곧 진정될테니까."

"대통령의 선거 공약 때문에 당분간 국내의 건설 경기가 내려가기는 틀린 것 같은데요."

"그렇지 않아요. 건설 경기가 과열되면 인플레 현상이 일어나고 산업성장이 기형화되기 때문에 정부가 이것을 길게 끌고 가지는 못합니다."

"허지만…… 그 동안에 우리 대리점들은 죽습니다. 아시다시피 해외 시장에서는 한번 신용을 잃으면 끝장입니다."

"너무 단편적으로 보지 말고 장기적인 대책을 세워나갑시다."

누구의 시각이 단편적이고 누가 장기적으로 보는 것인지 알 수 없는 노릇이었다. 나는 불평이 튀어나오려는 것을 겨우 참으며 말했다.

"정 국내시장의 물량을 줄이기 어렵다면…… 임시 건물을 지어서 조립장만이라도 증설을 하는 것이 어떻겠습니까?"

"증설을 해 놓았다가 경기가 내려가면 더 큰일 아니요? 어쨌든 경영관리실에 공장 증설계획을 검토하라고 지시해 놓았으니 근본적인 해결책을 강구해 봅시다."

그러나 사실은 공장 증설계획도 제대로 추진되지 않고 있었다. 건설 경기라는 것이 언제 갑자기 식어버릴지 모르는데 막대한 투자를 해 놓고 경기가 위축되면 어떻게 하느냐는 우려 때문이었다. 그러니까 사장이 증설계획을 검토하라고 지시한 것은 수출 쪽의 성화를 회피하기 위한 방편에 지나지 않았던 것이다.

결국 암담하게 된 쪽은 수출 담당뿐이었다. 대리점들이 전화를 걸어올 때마다 전화통에다 대고 머리를 조아리며 죄송하다고 사과하는 수밖에 없었다. 나는 국내영업 담당에게 사정도

하고 공장을 찾아가서 호소도 하고 여기저기 찾아다니면서 애걸하여 겨우 몇대씩을 선적해 놓고 양해를 구했지만 그것으로 해결될 문제가 아니었다. 이러다가는 대리점들이 먼저 도산을 할 판이었던 것이다.

그러던 어느 날 신우회에서 사람들이 찾아왔다. 연례행사로 하는 수련회가 있는데 나에게 신앙 간증을 해 달라는 것이었다. 나는 사실 그 동안 바쁜 업무 때문에 신우회의 일에 적극 동참하지를 못하여 늘 미안하던 터였으므로 쾌히 해 주겠다고 승낙을 했다. 그날 저녁 수련회에서는 내 간증이 있기 전에 초청한 목사님의 설교가 먼저 있었다.

(아차……)

목사님의 설교를 들으면서 나는 정신이 번쩍 들었다. 목사님의 설교는 바로 '요나'의 사건을 주제로 한 것이었다. 출장길에 비행기를 탈 때마다 요나의 배가 만났던 풍랑을 생각하며 떨었던 일이 생각나기 시작했다. 내가 하나님의 낯을 피하면 나와 함께 배를 탄 사람들도 같이 고생을 한다는 대목이 나오고 있었다.

> 여호와께서 대풍(大風)을 바다 위에 내리시매 바다 가운데 폭풍이 대작하여 배가 거의 깨어지게 된지라 사공이 두려워하여 각각 자기의 신을 부르고 또 배를 가볍게 하려고 그 가운데 물건을 바다에 던지니라……(욘 1 : 4~5)

하필이면 왜 또 '요나'의 이야기가 나오는 것인지 원망스러웠다. 나는 벽에 걸려있는 달력을 바라보았다. 10월 29일……기독교 방송의 '새롭게 하소서' 팀이 미국을 돌고 있을 시기였다. 나는 속으로 자신에게 변명을 늘어놓고 있었다.

(나는 많은 사람들에게 자문을 구했다…… 목사님들에게도 의견을 물었다. 내가 꼭 가야 한다면 하나님께서는 그 종들의 입을 통해서 가야 한다고 말씀해 주셨어야 하지 않는가? 그러나 목사님들은 안 가는 것이 옳다고 말해 주었다. 나는 내가 할 만큼은 다 했다. 내가 가기 싫어서 안 간 것이 아니지 않은가……?)

그러나 설교하시는 목사님은 계속해서 요나서의 말씀을 설명해 나가고 있었다. 요나와 한 배에 탔던 사람들이 고생하게 된 것은 모두 요나 때문이었다는 것이 판명 나는 순간의 장면이었다.

> 그들이 서로 이르되 자 우리가 제비를 뽑아 이 재앙이 누구로 인하여 우리에게 임하였나 알자 하고 곧 제비를 뽑으니 제비가 요나에게 당한지라……(욘 1:7)

결국 나와 함께 수출담당의 배를 탄 동료들이 고생하고 있는 것은 모두가 하나님의 낯을 피하여 다시스로 간 요나처럼 기독교 방송을 따라가지 않고 해외출장을 떠났던 나 때문이었다는 뜻이 될 수도 있었다. 사실 내가 크리스천인 것을 알고 있는 부하직원들은 일이 잘 안 풀릴 때마다 내게 투정을 해 왔다.

"기도라도 좀 하시지 그래요?"

"이사님이 기도를 하시면 하나님께서 수출이 잘되도록 해 주실 것 아닙니까?"

"이럴 때 필요해서 하나님을 믿는 것 아닙니까?"

너무 힘이 들어서 진심으로 그렇게 말하는 사람도 있었겠지만 내게는 그것이 모두 야유처럼 들렸다. 그러나 사실은 내가 회사의 일 때문에 기도를 안한 것은 아니었다. 모처럼 수출 담당 이사가 되어서 서울에 귀환한 것도 하나님의 뜻인 줄로 알았으므로 이 자리에 데려다 세워 놓으셨으니 수출이 잘되게 해서 많은 사람들이 하나님의 능력을 보고 놀라게 해 달라고 새벽마다 기도를 드렸다. 그러나 나를 수출 담당으로 만들어 놓으신 하나님께서는 정작 수출이 잘되도록 해 달라고 하는 내 기도에는 도무지 응답이 없으셨던 것이다.

(아니야…… 왜 목사님께서 하필이면 요나의 설교를 하셨는지 모르지만 그것은 우연의 일치라고도 할 수 있어.)

그러나 그날 이후로도 나의 불안은 계속될 수밖에 없었다. 고개를 쳐들기 시작한 국내의 건설경기는 하늘 높은 줄을 모르고 치솟고 있었던 것이다. 결국 88년의 수출 실적은 전년보다는 증가했으나 의욕적으로 잡았던 계획의 절반에도 못 미치는 나의 참패로 끝나게 되었던 것이다. 나는 한숨을 쉬었다.

(정말 이럴 때 예수님이 다시 오신다면 좋을텐데…… 그까

짓 수출 실적 같은 것을 놓고 걱정하지 않아도 될테니까.)

그러나 88년에도 예수님은 오시지 않았고 이번에는 또 92년에 오신다고 주장하는 사람들이 나타나기 시작하고 있었다. '헤브론 기도회'의 89년 수련회 장소는 계룡산이었다. 가는 길에 우리는 독립기념관에 들러서 자녀들에게 민족의 수난사를 견학시켰다. 그리고 나는 세미나에서 소설 〈홍수 이후〉를 쓰기 위해 수집한 자료들을 토대로 세계사 속에 숨겨진 비밀의 진상들을 밝히면서 이제부터 '한국'이 세계사의 중심에 들어서기 시작할 것이라는 내용의 강의를 했다.

89년부터 내 업무는 해외영업 담당으로 확장되었다. 수출뿐만이 아니고 수입업무까지 맡게 되었던 것이다. 회사는 생산설비를 증설할 생각이 없었기 때문에 수입판매를 확대하여 투자 없이 매출만 올려보자는 속셈이었다. 나는 수입 부서를 확충하고 수입 품목을 늘릴 계획을 하기 시작했다. 아무래도 국내의 건설 경기는 상당기간 지속될 것 같아서 의욕적으로 잡았던 수출계획을 조정하는 한편 해외의 건설장비를 수입하여 국내 시장에 팔기 위해 수출 시장에서 경쟁하던 해외 메이커들을 방문하기 시작했다. 그런 가운데서도 나는 상당한 비용을 감수하면서 독일의 뮌헨에서 열리는 유명한 건설장비 전시회에 우리 제품을 출품시켰다.

지구상에 많은 나라들이 있지만 상당한 공업적 기반이 있어야 생산이 가능한 건설장비를 이 전통 있는 전시회에 출품할 수 있는 나라는 겨우 십여개 국에 불과했다. 전시장 정문에 게

양된 참가국 국기들 가운데 한국의 태극기가 걸리게 된 것만으로 나는 만족해야 했다. 전시장을 찾아온 유럽과 미국의 대리점 사장들은 물건도 제대로 안 주면서 전시회는 무엇 때문에 참가했느냐고 빈정거렸다. 이제 더 이상 물건을 안 주면 망하게 되었으니 제발 물건 좀 달라고 통사정을 하기도 했다.

그러나 이 전시회가 끝난 후 나는 더 큰 수렁에 빠지게 되었다. 경제통합계획의 영향으로 투자가 증가되리라던 예상을 깨고 유럽 경제는 이상하게도 불황의 늪 속으로 꺼져들어가기 시작했던 것이다. 유럽 각국의 건설 경기 커브는 급강하했고 더구나 유럽 시장 중에서도 가장 유망했던 영국 시장이 내려앉기 시작했다. 특히 영국의 불황은 구조적인 것이어서 철의 여인이라던 대처 수상도 속수무책이었다. 국내영업 담당과 생산부서에 애걸을 해 가며 확보해 놓은 얼마 안되는 물량마저 자칫하면 남아돌게 될 판이었다. 아니나 다를까 이 기미를 알아챈 고위층에서는 역습이 시작되었다.

"수출용 장비가 출하되지 않고 있는 이유가 뭡니까?"

"아직 저쪽에서 신용장 개설이 안되었습니다."

"국내용으로 팔아버리면 어떻겠습니까?"

"조금만 더 기다려주십시오. 곧 신용장이 열릴 것입니다."

품질 등에 좀더 신경을 써서 제조한 수출용 장비는 노란색으로 도장되어 있고 국내 판매용은 주황색이어서 곧 구분을 할 수 있게 되어 있었다. 건설 장비라는 것이 십여 대만 있어도 상당한 면적을 차지하기 때문에 재고가 늘어나게 되자 공장의 스토크 야드는 온통 노란색으로 뒤덮인 것 같은 느낌이었다. 재고가 늘어날 때마다 속이 타지 않을 수 없었다.

그렇게 속이 타고 있던 그해 6월에 나는 임원 세미나에 참석하기 위해 용인의 중앙연수원에 입소했다. 그날도 수출 문제 때문에 고민을 하다가 잠이 들었던 나는 누가 흔들어 깨우는 것 같은 느낌을 받으면서 눈을 떴다. 시계를 보니 새벽 5시, 기도할 시간이었다. 나는 곧 일어나 앉아서 기도하기 위해 눈을 감았는데 어쩐 일인지 자꾸만 머리가 가려워서 견딜 수가 없었다.

샤워실로 가서 머리를 감고 샤워를 한 다음 다시 방으로 돌아와 기도를 하기 위하여 방바닥에 꿇어 앉았다. 그러나 아스타일 바닥이 너무 딱딱하여 무릎이 아팠다. 나는 다시 침대 위로 올라가서 그 위에 꿇어 앉았다. 그리고 눈을 감자마자 내 입에서 기도 소리가 흘러나오면서 어느새 눈에서는 걷잡을 수 없이 눈물이 흐르기 시작했다.

당신이 딱딱하고 험한 십자가에 달려 계실 때
나는 부드러운 침상 위에 꿇어 앉았나이다

당신이 캄캄한 성문 밖에 외로이 달려 계실 때
나는 낮은 지붕 안온한 벽 안에서 기도하나이다

당신이 모든 것 벗기우고 부끄러움 당하실 때

나는 가릴 것 다 가리우고 당신 앞에 나왔나이다

당신이 온몸을 다 찔리우고 찢기시어 신음하실 때
나는 험한 세상 길이 힘겨워 당신 앞에 호소하나이다

당신이 물과 피를 다 쏟으시며 목마르다 하실 때
나는 세상의 고초에 지쳐서 당신 앞에 눈물 짓나이다

당신이 하나님과 사람들로부터 모두 버림 받으실 때
나는 오직 당신의 아픔에 의지하여 위로를 바라나이다

이제야 나는 압니다 엘리 엘리 라마 사박다니
당신의 절망이 없었으면 부활도 없었다는 것을

이제야 나는 압니다 그 무서운 어둠 속으로부터
당신의 피맺힌 음성이 이르러 나를 살리셨음을……

나는 이 기도문에 '엘리 엘리 라마 사박다니'라는 제목을 붙여서 〈신앙계〉에 연재하고 있던 '성경과의 만남' 중에서 '침묵의 오후 세시'라는 글 중에 삽입하여 소개하였다. 이것이 나가자 내게는 많은 전화들이 걸려왔다. 읽으면서 몇번이나 울었다는 독자도 있었고 종이에 베껴서 수첩의 갈피에 넣어놓고 생활이 힘들 때마다 꺼내어 읽는다는 독자들도 있었다.

그러나 세미나가 끝난 후에도 회사의 업무에서 내가 부딪치고 있는 난관은 좀처럼 개선되지 않고 있었다. 나는 계속해서 영국 지역의 대리점에 전화를 걸어 왜 신용장을 개설하지 않느냐고 독촉을 했다. 그러나 상대방은 오히려 제품의 품질을 트집삼아 클레임 처리에 성의가 없다느니 부품의 공급이 늦다느니 불평만 하면서 선적을 지연시키고 있었다. 현지의 지사에서 알아본 바로는 대리점 쪽의 재고도 만만치 않은 수준으로 늘어나고 있었다.

(이러다간 안되겠군…… 새 시장을 개척해야 되겠어.)

아직 미국 쪽의 시장은 그런대로 괜찮았으나 그것만으로는 수출 목표를 달성하는데 어림도 없었다. 그해 7월 나는 참모들과 함께 시장분석 자료를 검토한 끝에 동남아 시장을 개척하기로 하고 태국, 말레이지아, 인도네시아, 대만 등 동남아 출장에 나섰다. 방콕과 쿠알라룸풀의 현지 교회는 벌써 내가 온다는 소식을 듣고 간증 집회를 준비하고 있었다. 나는 이들 나라의 새로운 대리점을 물색하는 한편 저녁에는 간증 집회에 참석하는 등 땀을 뻘뻘 흘리며 뛰어다녔다.

동남아 출장에서 돌아온 지 며칠 후 나는 수입판매 관계로 회의를 하기 위해서 영업본부장과 함께 인천 공장으로 내려갔다. 회의가 끝나고 점심을 먹고 나자 영업본부장이 시계를 들여다보며 말했다.

"병원에를 좀 들러야겠는데…… 같이 가보지 않을래요?"

"어디 편찮으십니까?"

"요즘 계속 신경을 좀 썼더니 기분이 안 좋은 것 같아서…… 혈압이라도 재보아야겠어."

나는 오래간만에 의사와 인사도 할겸 그와 함께 부속병원으로 갔다. 나는 인천에 근무하는 동안 매주 금요일이면 병원을 방문하여 환자들을 위문하고 복음을 전했었기 때문에 의사들과도 잘 알고 지냈던 것이다. 의사와 인사를 하고 나서 영업본부장은 혈압을 쟀다. 그의 혈압은 정상이었다. 그는 안심했다는 듯 소매를 내리며 내게 말했다.

"김 이사도 온 김에 재보지 그래요?"

"나야 정상인데 뭘……."

대기업의 임원들은 매년 자신의 생일이 들어있는 달에 건강클리닉에서 종합 건강진단을 받고 있었다. 임원에 대한 일종의 특혜이기도 했지만 그 결과가 나쁘면 회사에서 '이제 그만 쉬시지요' 하고 권할 수 있는 조건도 되는 것이었다. 어쨌든 지난해의 내 혈압은 120-80의 정상이었고 건강진단의 결과는 '이상 없음' 이었던 것이다. 나는 자신 있었기 때문에 소매를 걷었다.

"그럼 나도 한번 재볼까……?"

그러나 혈압을 재고 있던 의사의 표정이 이상해지고 있었다. 나는 아직도 자신에 찬 목소리로 물었다.

"뭐 문제라도 있습니까?"

"혈압이 좀 높군요."

"얼마지요?"

"160-110……"

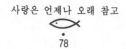

"엣?"

160-110이라면 이건 조금 높은 정도가 아니었다. 나는 깜짝 놀랐다.

"아니…… 혹시 잘못 재신 것 아닙니까?"

"……?"

의사는 어이 없다는 듯 내 얼굴을 바라보고 있었다. 지난해 건강진단을 받은 것이 10월이었고 혈압을 잰 그날은 7월 18일이었으니까 아직 아홉 달이 채 안 지났는데 그 사이에 혈압이 그토록 점프했다는 것은 도무지 이해가 안 가는 일이었다. 내가 좀 당황하는 기색을 보이자 의사는 위로하듯이 말했다.

"혈압이란 갑자기 올라가기도 하고 내려가기도 하는 것이니 자주 체크를 해 보세요."

"이상한데……."

"혹시 집안에 고혈압이나 심장병 또는 뇌졸중 등 순환기 계통의 환자는 없었습니까?"

뇌졸중이란 바로 중풍을 말하는 것이었다. 나는 중풍으로 고생하시다가 5년 전에 돌아가신 아버님 생각이 났다.

"아버님께서 뇌졸중으로……."

"어머님 쪽에는 없었습니까?"

그러고 보니 어머니 쪽에도 있었다. 바로 나를 위하여 기도해 주시는 이모님 유업진 전도사도 혈압이 얼마인지는 모르지만 늘 뒷골이 땡긴다면서 혈압약을 복용하고 계셨던 것이다.

"이모님께서 혈압이 높으시지요."

"……그렇군요."

내가 그렇게 보아서 그런지 의사의 표정은 더 어두워지는 것 같았다.

"혈압은…… 유전입니까?"

"통계적으로는 그렇게 나와있지요."

"허지만 작년 10월에도 괜찮았는데……."

"혈압이란 본래 그렇게 종잡을 수 없는 것이니까요."

어쨌든 뭔가 심상치 않은 사건이 일어난 것은 사실이었다. 그날 이후로 나는 생각지도 않았던 고혈압 노이로제에 걸리다시피 되었다. 이것 저것 혈압에 대한 책들도 읽어보고 치료법에 관한 책들도 찾아보았다. 육식을 절제하고 맵고 짠 것을 줄이고 콜레스테롤이 많은 음식들을 조심하라고 적혀진 식이요법에 관한 책들도 읽어보았다. 그리고 그런 조사들 끝에 내가 얻은 결론은 고혈압이란 병은 혈압 강하제를 복용하는 것 이외는 달리 치료법이 없다는 것이었다.

그날부터 나는 갑자기 환자가 되어버린 듯한 생각이 들었다. 몸의 여기저기가 다 안 좋은 것 같고 조금이라도 이상한 기분이 들면 고혈압 때문이 아닌가 하는 생각이 들었다. 나는 어쩌면 뇌졸중이나 심장마비로 일찍 죽을는지도 모른다는 생각이 들기도 했다. 〈성경과의 만남〉 연재도 아직 다 끝나지 않았고 〈홍수 이후〉도 이제 겨우 시작하는 중이고 아직도 써야 할 것들이 많은데 하나님께서는 이제 그만하면 됐으니 다 정리하고 돌아오라는 귀대명령을 내리시려는 것인지도 몰랐다. 나는 될 수 있는 대로 태연하려 애썼다.

(오라고 하시면 가야지 별 수 있나?)

걱정해 보았자 그야말로 혈압만 더 올라갈 것이기 때문에 나는 태평하려 애쓰고 있었다. 주님께서는 나를 위해 그 몸을 주셨고 내 몸도 이미 그에게 바쳤는데 왜 걱정을 하느냐고 자문했다. 내 몸은 내 것이 아니고 주님의 것이니 걱정을 하려면 주님께서 하실 일이라고 나는 생각했다. 다만 나는 음식을 절제해야 한다는 것에는 일리가 있다고 보았다. 아담과 하와가 에덴에 있을 때 그들은 콜레스테롤 같은 것을 섭취하지 않았기 때문이었다.

(하여간 하나님의 질투도 대단하셔…… 술도 끊고 담배도 끊었더니 이제는 아예 풀만 먹으라고…… 좋습니다. 그렇게 하지요. 사람은 떡으로 사는 것이 아니라 하나님의 말씀으로 사는 것이니까요.)

그해 여름 휴가 때 나는 늘 그렇게 하던 대로 사흘 금식을 했다. 휴가의 마지막 날 나는 아내와 함께 '산곡 기도원'을 찾았다. 하나님과 나 사이에 도대체 무엇이 잘못되어 있는가를 한번 따져보기 위해서였다. 아내와 함께 기도하면서 나는 하나님께 모든 것을 따졌다.

"주여, 가르쳐 주십시오. 기독교 방송 사람들을 따라 미국에 가지 않은 것이 그렇게도 섭섭하셨습니까? 저도 할 만큼은 다 했습니다. 주위의 사람들에게 의견을 물었고 목사님들께도 자문을 구했습니다."

그러나 하나님께서는 아무런 반응이 없으셨다. 마치 고개를 돌리고 계시는 것 같았다.

"제 혈압을 높이시고 또 설사 저를 뇌졸중이나 심장병으로 데려가신다 한들 저는 아무 불만도 없습니다. 그러나…… 이런 경우에는 어떻게 해야 하는지 가르쳐 주셔야 할 것 아닙니까? 저에게 신앙 상담을 해 오는 사람들도 많이 있는데 그들에게는 이런 경우 어떻게 대답해야 합니까?"

그날의 강사는 금란교회의 김홍도 목사였다. 설교의 주제는 '주의 뜻이 무엇인가'(엡 5 : 17) 하는 질문으로 시작하여 '내 아버지의 뜻은 아들을 보고 믿는 자마다 영생을 얻는 이것이니 마지막 날에 내가 이를 다시 살리리라'(요 6 : 40) 하는 말씀으로 결론을 맺고 있었다. 즉 하나님께서 어떤 명령을 하시든지 그의 뜻은 '구원'에 있으므로 믿고 따라가기만 하면 구원의 항구에 도착하게 된다는 것이었다.

그러나 아직도 나의 머리는 하나님의 뜻을 헤아리지 못하고 있었다. 기독교 방송을 따라가라는 것이 하나님의 명령인지 직장의 일을 충실히 하는 것이 하나님의 뜻인지 판단할 수가 없었던 것이다. 아니면 이런 경우에는 어느 쪽을 따라가더라도 그 항로의 끝에는 구원의 항구가 있으리라는 말씀인 것 같기도 했다.

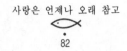

다만 목사님의 설교 중에는 한 가지 단서가 있기는 했다. 즉 하나님의 뜻을 헤아릴 때 자기 중심으로 판단하지 말라는 것이었다. 자기 중심으로 판단할 때 실족하는 경우가 있게 되고 실족하는 일이 생기면 기도의 응답이 없고 하나님과의 관계가 멀어지게 되고 매사가 고통스럽고 어려운 일이 중첩된다고 했다.

(내가 정말…… 내 중심으로 판단했는가?)

나는 아니라고 고개를 저었다. 나 중심으로 판단하지 않기 위하여 수많은 사람들에게 의견을 묻지 않았던가? 물론 하나님께서는 그 많은 사람들과 의견을 달리 하실 수도 있었다. 그러나 그런 경우에는 너와 네 상담자들이 틀렸다고 가르쳐 주셔야 하는 것이었다. 어쨌든 하나님과의 관계는 멀어지는 것 같았고 기도의 응답도 없었고 삶의 순간들이 고통과 시련의 중첩인 것은 사실이었다.

그러나 아직도 작품을 쓰는데 있어서는 하나님께서 줄곧 영감을 주시고 계셨다. 그로부터 두 주가 지나서 바로 8월 15일 새벽에 하나님께서는 내게 새로운 소설의 소재를 주셨다. 한국에서 일어난 역사적 이벤트를 소설로 기록해 두어야 하지 않겠느냐는 것이었다. 하나님께서 내게 지적해 주신 세 개의 이벤트는 지난해에 있었던 '올림픽 대회'와 바로 한 달 전에 평양에서 열렸던 '평양축전' 그리고 올림픽 경기가 열렸던 잠실 주경기장에서 진행되고 있는 '미스바 성회'였다.

새벽기도에서 돌아온 나는 미스바 성회의 일정을 알아보기 위해 급히 신문을 찾았다. 성회는 바로 전날인 14일부터 시작하여 닷새 간 열리게 되어 있었다. 미스바 대각성 성회는 민족복음화와 세계선교를 위하여 한사랑 선교회의 김한식 선교사가 주관하고 있는 구국기도회였다.

나는 그날 오후 우선 아내와 함께 성회가 열리고 있는 올림픽 주경기장으로 달려갔다. 대학생들이 복음성가를 부르고 있는 입구에서부터 우선 감동이 넘쳐 흘렀다. 경기장에는 학생들이 직접 사다리를 오르내리며 매달았다는 현수막과 만국기들이 펄럭였고 올림픽 경기의 기록을 알리던 전광판에는 대회의 목적을 알리는 글자들이 지나가고 있었다.

"민족 복음화와 세계선교를 이루어 주님의 재림을 대비케 하소서!"

미스바 성회는 대학생들이 얼마 안되는 예산과 후원금을 가지고 이루어낸 거창한 행사였다. 각 교단의 대폭적인 후원을 받지는 못했지만 하나님께서는 이 성회를 주목하고 계셨던 모양이었다. 경기장 안에는 많은 사람들이 들어차 있었다. 나는 열변을 토하는 김한식 선교사의 말씀을 들으면서 새 소설의 첫 장면을 서울 올림픽으로부터 시작하여 평양축전을 거쳐서 미스바 성회를 클라이막스로 잡아야겠다고 생각했다. 대회의 모습들을 분주하게 스케치 하면서도 한편으로는 한숨이 나왔다.

(하나님은 짓궂으신 분…… 일은 일대로 시키면서 또 고생은 고생대로 시키니 이게 도대체 무슨 조화란 말인가?)

어쨌든 나는 하나님의 표정이 어떻건 우선 내가 할 일을 묵묵히 해 나갔다. 글쓰는 일에 충실하면서 꾸준히 새벽기도에 나가서 하나님의 뜻을 물었다. 반응이 없으시면 일방적으로 내

기도만 줄줄이 엮어서 제출하고 내려왔다. 부르는 곳마다 간증 집회도 열심히 나갔고 하나님과의 좋았던 시절을 추억하며 고백할 때마다 자꾸만 눈시울이 뜨거워지곤 했다.

그러던 어느 날 또 한번 나를 충격 속으로 몰아넣는 사건이 일어났다. 내가 맡고 있는 청년부에 속해 있다가 군에 입대한 회원의 부친이 돌아가셨는데 어머니도 안 계시고 친척도 없어서 누군가 가보아야 한다는 것이었다. 청년들과 함께 찾아가보니 급히 연락을 받은 아들이 휴가를 얻고 나와서 빈소를 지키고 있었다.

"아니…… 왜 갑자기 돌아가셨대?"

"고혈압이에요. 평소에 혈압이 꽤 높으셨거든요."

고혈압으로 돌아가셨다는 말에 나는 이미 충격을 받고 있었다. 혈압이 좀 높다고 죽기야 하겠는가 했었는데 그것이 바로 눈 앞에 현실로 나타나 있었던 것이다. 게다가 돌아가신 부친의 나이를 물어보니 바로 나와 동갑이었다.

"평소에…… 어떤 일을 하셨는데?"

"트럭 운전을 하셨지요. 고혈압에는 스트레스가 안 좋고 특히 운전은 나쁘다고 하는데 먹고 살려니 운전을 안할 수가 있어야죠."

운전이 고혈압에 나쁘다면 그것은 내게도 해당하는 말이었다. 나는 매일 승용차를 몰고 다니며 일을 해 왔을 뿐만 아니라 요즘은 그 수출 문제 때문에 고혈압에 나쁘다는 스트레스도 상당히 받고 있었던 것이다.

가뜩이나 유럽의 경기가 나빠져서 수출이 위축되어 있는데 게다가 또 유럽 통화의 평가절하로 가격 경쟁력까지 떨어지고 있었다. 몇달 전까지만 해도 물건이 없어서 아우성을 쳤는데 공장 마당에는 어느새 재고가 50여 대로 늘어나서 그야말로 황색의 바다를 이루고 있었다. 아침에 출근만 하면 공장으로부터 부사장의 전화가 걸려왔다.

"재고를 어떻게 할거요? 원자재를 적재할 장소도 비좁은데 수출용 장비가 공간을 다 차지하고 있으니 대책을 세워야 하지 않겠소?"

"네, 네. 알겠습니다."

"알다니 뭘 알았단 말이오? 대책을 세워가지고 공장으로 좀 내려와 보세요!"

"네, 그렇게 하겠습니다."

그러나 사실은 어떻게 해야 할는지 나도 암담하지 않을 수 없었다. 물론 대리점이 요구할 때 물건을 제대로 대주지 못했던 우리 쪽에도 책임은 있었다. 그러나 어쨌든 일이 이렇게 되면 담당 임원으로서 무엇인가 대책을 세워야 했던 것이다. 새벽기도에서 나의 질문은 더욱 간절해지기 시작했다.

"말씀 좀 해 주십시오. 지금까지 되어온 일들을 보면 무엇인가 가르쳐 주시는 것 같은데 저는 도무지 알 수가 없습니다."

나는 정말로 혼돈의 바다에서 헤엄을 치고 있는 것 같았다.

"이것이…… 주님의 명령을 따르지 못한 데 대한 진노이십니까, 아니면 바울에게 주셨던 가시입니까, 혹은 닥쳐올 일들에 대한 경고입니까, 또는 원하시는 일에 대한 계시입니까?"

그해 10월 8일 새벽이었다. 부르짖고 있던 나의 몸이 조금씩 떨리는 것 같더니 침묵하시던 하나님께서 무엇인가 말씀을 하시는 것 같았다. 하나님의 말씀인지 내 마음속에서 나오는 생각인지 잘 모르겠는데 하여간 머리속을 스쳐 지나가는 음성이 있었다.

"넌 뭐든지 다 안다고 하지 않았느냐?"

나는 다시 황급히 아뢰었다.

"아닙니다. 전 아무 것도 모릅니다. 잘난 척한 것이 잘못되었다면 용서해 주십시오. 그리고 제발 좀 가르쳐 주십시오."

그러나 그 다음은 역시 침묵이었다. 다만 기도 중에 성경의 말씀이 떠오르기 시작했다. 디모데후서 2장 13절이었다.

> 우리는 미쁨이 없을지라도 주는 일향(一向) 미쁘시니 자기를 부인할 수 없으시리라

사람은 연약하여 하나님 앞에 신실하지 못할지라도 주는 언제나 신실하시므로 약속한 자녀를 끝까지 사랑하시리라는 뜻이었다. 이 말씀은 다시 히브리서 6장 17절로 이어졌다.

> 하나님은 약속을 기업으로 받는 자들에게 그 뜻이 변치 아니함을 충분히 나타내시려고 그 일에 맹세로 보증하셨나니……

나는 다시 산곡기도원에서 들었던 김홍도 목사님의 설교 말씀을 기억해 내었다. 하나님께서 그 택하신 자들이 실족을 하더라도 결코 그를 버리지 않으시며 다시 깨닫고 돌이키도록 하신다고 했던 것이다. 나는 이 두 절의 말씀을 붙잡으며 나대로 생각을 이어나갔다.

(세상의 아내들이 남편 섬기기가 어렵듯이…… 하나님도 때로는 노하시고 핀잔도 주시고 언짢아하기도 하시고 또 화도 내시는 분이어서 따르기가 쉽지는 않은 모양이다…… 그러나 하나님은 변치 않으시는 분이다!)

세상의 남편들은 아내와 다투다가 더러 마음이 변하는 수도 있지만 하나님은 세상의 남편들처럼 변하는 분이 아니었다. 그 변치 않으심 속에 바로 우리의 소망이 있고 '천국'이 있는 것이었다. 혈압이 높아도 주님께서 하신 일이요 낮아도 마찬가지인데 내가 미처 깨닫지 못하여 실족한들 어쩌겠는가? 주께서도 벌거벗기운 채로 십자가에 달리심으로써 부끄러움을 개의치 않으셨는데(히 12:2) 내가 주님 앞에 부끄러울 것이 무엇인가?

거기까지 생각했을 때였다. 내 눈 앞에는 마치 천사가 스가랴 선지자에게 "네가 무엇을 보느냐?" 하고 물을 때처럼 이상한 것들이 보이기 시작했다. 내가 처음에 본 것은 하얗고 깨끗한 그릇이었다.

"주여, 이게 무엇입니까?"

그러나 아무런 설명도 없이 그릇 안에는 노랗고 붉은색의 작은 열매들과 귤처럼 생긴 과일 세 조각이 들어있었다.

"이걸 어떻게 하라는 뜻입니까?"

그러나 아무런 지시도 없었다. 나는 베드로가 보았던 환상이 생각나서 그것들을 다 먹어버렸다. 다음에는 물방울이 묻은 나뭇잎 하나가 나타났다. 그것도 먹었다. 그러자 이번에는 다시 하얀 약봉지 하나가 보였다.

(하나님께서 고혈압을 고쳐 주시려는가?)

약봉지도 봉지째로 먹어버렸다. 그 다음에 보니 그릇에 죽이 담겨져 있었다. 그것도 먹으니 이번에도 벼루와 붓이 나타났다. 그것도 먹었다. 그러자 하얀 비둘기 한마리가 나타나더니 입에 물고 있던 나뭇가지로 글씨를 썼다.

"시기"

그것이 한글이어서 시기(猜忌)인지 시기(時機)인지 또는 시기(時期)인지 알 수가 없었다. 어쨌든 이 모든 것들이 지나간 후에는 눈부신 흰 옷을 입은 주님의 모습이 나타났고 그 가슴에는 찬란한 황금빛으로 수놓은 십자가가 보였다. 그리고 그 황금빛 속에서 무궁화처럼 하얗고 붉은색의 꽃들이 터져나와 나를 감싸고 있었다.

이것이 무슨 뜻인지 나는 알 수가 없었다. 한참 시간이 흐른 뒤에야 나는 대강 이 환상의 의미를 깨달을 수가 있었다. 어쨌든 맨 나중에 주님의 모습이 보였고 황금빛의 십자가가 보였고 꽃들 속에 둘러 싸이는 장면을 보았으므로 내가 주님으로부터 버림을 받지 않으리라는 정도의 확신은 가질 수가 있었다.

그러나 새벽기도에서의 위로는 그것으로 끝나버렸다. 눈을 뜨고 세상으로 돌아와보면 아직도 나는 혼란과 고통 속에 그대로 있었다. 한번은 회사에 출근해서 책상 앞에 앉아있는데 갑자기 손발이 저려오기 시작했다. 전에는 좀처럼 없던 일이었다. 나는 부속병원에서 혈압을 쟀던 그날 집에 돌아와서 읽었던 가정의학 사전의 내용을 기억해 내었다.

그것은 고혈압 환자에게 나타나는 전형적인 증세였던 것이다. 뿐만 아니라 귀에서는 이상한 소리가 들리기 시작했다. 마치 고장난 컴퓨터에서 들리는 것 같은 금속성의 째지는 소리가 귀에서 울리기 시작한 것이다. 주로 고혈압 때문에 생기는 소위 이명(耳鳴) 즉 귀울음의 현상이었다. 나는 아직도 하나님의 그물 속에 체포되어 있었던 것이다.

땅끝의 시계탑

1989년 역시 종말적인 사건들로 얼룩진 한 해였다. 그해에 있었던 일 중에 무엇보다도 상징적이었던 사건은 바로 6월 3일 이란의 지도자 호메이니 옹이 사망한 것이었다. 이슬람 최후의 원리주의자라고 할 만한 호메이니 옹은 반미노선을 취하면서도 소련과의 협력을 고집스럽게 거부하고 있었다. 그 이유는 바로 소련이라는 국가가 신의 존재를 부인하는 무신론의 나라이기 때문이었다.

그러므로 세계 전쟁에 대비하기 위한 미국의 가상훈련은 늘 호메이니의 죽음으로부터 시작하고 있었다. 호메이니가 죽으면 이란을 비롯한 이슬람 세력이 소련과 급속하게 가까워질 것이고 그렇게 해서 지구촌의 가장 위험한 두 세력 즉 이슬람권과 공산권이 결탁하게 되면 결국 3차 대전을 일으킬 가능성이 높아진다고 판단되기 때문이었다. 그리고 그것은 곧 성경에 기록된 에스겔 38장의 예언을 성취하는 일이기도 했다.

이르기를 주 여호와의 말씀에 로스와 메섹과 두발 왕 곡아 내가 너를 대적하여 너를 돌이켜 갈고리로 네 아가리를 꿰고 너와 말과 기병 곧 네 온 군대를 끌어내되 완전한 갑옷을 입고 큰 방패와 작은 방패를 가지며 칼을 잡은 큰 무리와 그들과 함께 한 바 방패와 투구를 갖춘 바사와 구스와 붓과 고멜과 그 모든 떼와 극한 북방의 도갈마 족속과 그 모든 떼 곧 많은 백성의 무리를 너와 함께 끌어내리라(겔 38 : 3~6)

본래 창세기 10장에 나오는 노아의 후손들이 니므롯의 변란으로 말미암아 민족 대이동을 시작할 때 야벳 족속의 대부분은 북으로 이동하여 지금의 동유럽과 러시아 등지에 자리를 잡았었다. 에스겔 38장에 나오는 민족의 이름들은 동시에 그들이 살았던 지역을 표시하기도 하는데 로스는 러시아를 의미하고 메섹은 모스크바로 그리고 두발이란 이름은 모스크바 남방의 도시 두발스크로 남아있었던 것이다.

또 그 다음 절에 나오는 바사는 페르샤 즉 지금의 이란이며 구스는 에디오피아이고 붓은 오늘날의 리비아를 말하는 것이다. 고멜과 도갈마 역시 북으로 이동했던 야벳 족속의 이름들이다. 이들은 마지막 때에 있을 두 번의 전쟁 중에서 첫번째 전쟁 즉 이스라엘을 침공한 전쟁에서 대패하여 모두가 이스라엘의 산 위에 엎드러지리라고 기록되어 있다.

그러므로 인자야 너는 곡을 쳐서 예언하여 이르기를 주

여호와의 말씀에 로스와 메섹과 두발 왕 곡아 내가 너를 대적하여 너를 돌이켜서 이끌고 먼 북방에서부터 나와서 이스라엘 산 위에 이르러 네 활을 쳐서 네 왼손에서 떨어뜨리고 네 살을 네 오른손에서 떨어뜨리리니 너와 네 모든 떼와 너와 함께 한 백성이 다 이스라엘 산 위에 엎드러지리라……(겔 39 : 1~4)

그런데 다행스럽게도 호메이니가 죽기 전에 이미 소련이 무너지기 시작했던 것이다. 미국의 타임지가 80년대의 인물로 선정했던 미하일 고르바쵸프는 소련의 정권을 장악한 이후로 개방과 개혁을 서둘렀고 그 바람에 소련은 거의 희극적일 정도로 우습게 허물어지기 시작했다. 뿐만 아니라 폴란드와 헝가리에서 시작하여 동독과 체코 그리고 루마니아에 이르기까지 동구권의 여섯 나라가 도미노식으로 무너지기 시작한 것이었다.

지구촌의 가장 상징적인 빅 뉴우스였던 호메이니의 죽음은 그 다음날 새벽 중국의 베이징에서 일어난 천안문 사태로 인하여 덮여버렸다. 동구권의 몰락에 충격을 받은 중국은 그들이 소련보다 앞질러 개방을 시작한 선두주자였음에도 불구하고 민주개혁을 요구하는 대학생과 시민들에게 무차별 총격을 가하고 그들을 탱크로 깔아 뭉개어 전세계를 경악시켰던 것이다.

그런 가운데 88년 종말설 때문에 주목을 받고 있던 유대인들이 수상한 움직임을 보이기 시작했다. 미국에서 소위 '유대계'로 알려져 있는 재벌들이 슬금슬금 재산처분을 시작하더니 마침내 본격적으로 그들 소유의 부동산과 기업들을 팔아넘기기 시작했던 것이다. 이미 유대인 소유로 알려진 많은 공장들이 일본인들의 손에 넘어가는 중이었고 LA와 뉴욕의 대형 빌딩들도 그렇게 팔려 넘어가고 있었다.

CBS 레코드사와 콜럼비아 영화사가 일본의 쏘니 그룹으로 넘어가더니 그해 11월에는 그야말로 충격적인 소식이 발표되었다. 그것은 바로 뉴욕의 심장부에 있는 록펠러 센터가 일본의 미쯔비시 부동산에 매각되었다는 소식이었다. 19개의 빌딩군으로 이루어진 이 세계 최대의 비즈니스 센터는 바로 미국의 자존심을 상징하는 것이어서 미국인들의 충격은 엄청난 것이었다.

역사상 중요한 사건이 터질 때마다 역사의 표면에 떠올랐던 유대인들이 88년 이후로 갑자기 그 재산을 정리하고 있는 것은 수상한 일이 아닐 수 없었던 것이다. 록펠러 센터가 팔렸다는 소식 때문에 신문이 떠들썩하던 바로 그 무렵에 나는 손발이 저린 증세를 느끼면서 역사적인 이변보다는 당장 자신에게 닥친 문제가 급하지 않을 수 없었다.

그날 11월 6일 저녁 퇴근 길에 나는 교회를 찾았다. 아무도 없는 기도실에 들어가 무릎을 꿇었다. 하나님과의 세번째 '독대'(獨對)를 시작하려는 것이었다.

하나님과 나의 첫번째 독대는 바로 9년 전 아내가 위암으로 수술을 받았던 해인 80년 11월 16일에 있었다. 그날 새벽 나는 이희준 목사님이 내 이름을 연속기도자 명단에 넣어놓았기 때문에 텅빈 교회를 찾아가서 무릎을 꿇었다가 십자가 위에서 피를 흘리고 계시는 예수님과 만났던 것이다.

두번째의 독대는 그로부터 2년이 지난 82년 10월 16일 토요일이었다. 아내의 병 때문에 하나님께 매달리고 있던 나는 회사에서 신우회 활동을 열심히 한 것이 화근이 되어 인천 공장으로 발령을 받아 내려갔었다. 그러나 내가 그런 수치를 당했던 배경에는 나를 제거하려고 마음 먹고 있던 한 사람이 있었던 것이다.

내가 영업부장으로 한창 날리고 있을 때 나를 신임하고 밀어주던 중역 한 분이 있었는데 나를 제거하려고 일을 꾸민 사람은 바로 그 분과 경쟁관계에 있던 사람이었다. 그는 자신의 경쟁자를 거세하기 위하여 그 분의 오른팔이라고 알려져 있던 나를 먼저 제거하려 했다. 그래서 그는 새로 부임한 사장에게 기회 있을 때마다 나에 대하여 좋지 않은 보고를 했고 나는 서울을 떠나 인천으로 밀려내려가게 되었던 것이다.

그러나 인천에 내려가서도 나는 "작은 일에 충성하라"는 성경 말씀대로 맡겨진 일을 열심히 하여 다시 사장의 신임을 얻기 시작했다. 그러자 이번에는 다시 없는 말까지 사장에게 고해 바쳐서 그는 나를 치명적인 곤경으로 몰아넣고 있었다. 본래 밀고라는 것은 그것을 받은 자가 당사자에게 확인을 하지 않는 한 해명할 기회가 없게 마련이었다.

끝까지 나를 비인간적으로 몰아붙이는 상대방의 정체를 확인하고 나는 회사에서 일찍 퇴근하여 집으로 돌아왔다. 그리고 아무도 없는 빈 집에서 나는 하나님과 독대했다. 더 이상 버티기가 힘들다고 나는 호소했다. 하나님을 따르는 길이 이렇게 힘들고 어려운 것이라면 아내고 신앙이고 뭐고 다 때려 치우고 싶다면서 울부짖었다.

바로 그 다음날은 주일이었다. 하나님께서는 발버둥 치는 나를 그냥 놔두면 안되겠다 싶으셨는지 새벽기도 시간부터 나를 달래기 시작하셨다. 새벽기도 시간의 성경 강해는 시편 49편이었다.

> 저희의 속 생각에 그 집이 영영히 있고 그 거처가 대대에 미치리라 하여 그 전지(田地)를 자기 이름으로 칭하도다 사람은 존귀하나 장구치 못함이여 멸망하는 짐승 같도다 (시 49 : 11~12)

바로 그것은 세상의 것을 추구하는 자가 비록 오래 갈 것처럼 생각하나 그 앞날이 길지 못하리라는 말씀이었다. 그날 낮 예배 설교의 제목은 '내 백성'이었고 본문은 출애굽기 3장이었다.

> 여호와께서 가라사대 내가 애굽에 있는 내 백성의 고통을 정녕히 보고 그들이 그 간역자로 인하여 부르짖음을 듣고 그 우고(憂苦)를 알고 내가 내려와서 그들을 애굽인의 손에서 건져내고 그들을 그 땅에서 인도하여 아름답고 광대

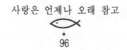

한 땅 젖과 꿀이 흐르는 땅 곧 가나안 족속, 헷 족속, 아모리 족속, 브리스 족속, 히위 족속, 여부스 족속의 지방에 이르려 하노라(출 3 : 7~8)

또 그날 저녁 예배의 설교에서 목사님은 빌립보서 3장 19절의 말씀을 가지고 '없어도 되는 사람'에 대해서 말씀하시는 것이었다. 땅의 일에 매달리는 사람은 없어도 되는 사람이므로 저가 버림을 받을 때 부끄러움을 당할 터이니 하나님의 백성들은 오직 하늘의 것을 사모하라는 말씀이었다.

저희의 마침은 멸망이요 저희의 신(神)은 배요 그 영광은 저희의 부끄러움에 있고 땅의 일을 생각하는 자라 오직 우리의 시민권은 하늘에 있는지라……(빌 3 : 19~20)

그렇게 주일 하루가 지나고 나서 월요일 새벽에 목사님의 성경 강해는 다시 시편 49편의 14절로 이어지고 있었다.

……정직한 자가 아침에 저희를 다스리리니 저희 아름다움이 음부에서 소멸하여 그 거처조차 없어지려니와 하나님은 나를 영접하시리니 이러므로 내 영혼을 음부의 권세에서 구속하시리로다(시 49 : 14~15)

정직한 자가 아침에 저희를 다스리리라는 말씀은 어둠이 깊었을지라도 다시 아침이 오면 하나님께서 모든 일을 정상으로 되돌려 놓으시리라는 뜻이었던 것이다. 주일 새벽부터 월요일 새벽에 이르기까지 일관된 음성으로 위로해 주시는 하나님의 은혜에 감사하며 한결 편안해진 마음으로 회사에 출근한 나는 동료들로부터 갑작스러운 인사발표의 이야기를 듣고 깜짝 놀랐다.

그토록 나를 비정하게 몰아붙이고 있던 그 사람이 갑자기 옥포 조선소로 발령이 났다는 것이었다. 나는 어이가 없어서 한참 동안 멍하니 서 있을 수밖에 없었다. 아니 어이가 없다기보다는 겁에 질려서 벌벌 떨고 있었다. 그것은 틀림없이 하나님의 무서운 비상조치였던 것이다.

나는 이때로부터 타인에 관련된 기도에 대해서는 매우 조심하는 버릇이 생겼다. 그토록 응답이 신속하시다면 만일 내가 잘못 판단하고 기도를 드렸을 때 어떤 무서운 결과가 나타날는지 너무 두렵기 때문이었다. 옥포로 발령되어 간 그 사람은 그 후로 계속해서 내리막길을 걸었다. 그리고 나중에 나는 그의 빈소에서 그의 영정과 만나게 되었던 것이다.

이렇듯 내가 비장한 각오로 하나님과의 독대를 요청했을 때 나는 하나님께서도 긴장하시면서 내 기도를 듣고 계시다는 것을 확인할 수 있었다. 그래서 이제 다시 나 자신에게 해결하기 어려운 문제를 출제하신 그 분께서 나와 무엇인가 시비를 벌이고 계시다는 것이 확실해졌으므로 나는 이 문제를 놓고 하나님과 직접 담판을 짓기로 마음을 먹었던 것이다. 아예 사생 결단을 내더라도 응답을 받아내고야 말겠다는 각오였다. 기도실 바닥에 꿇어앉자마다 나의 질문은 시작되었다.

"무슨 이유입니까? 잘못된 일에 대한 징계입니까? 제가 미워서입니까? 또는 하실 말씀이 있어서입니까? 깨닫지 못함을 용서하소서. 어리석음을 용서하소서. 그러나 더 이상 저를 괴롭히지 마시고 이제 그만 해답을 가르쳐 주옵소서!"

나는 본래 성미가 급해서 아내와 부부 싸움을 하더라도 오래 끌지를 못하는 성미였다. 화가 나면 나는 대로 화를 퍼붓고 따질 것은 따지고 하여 결판을 내야 했던 것이다. 나는 그래서 말 안하고 싸우는 사람을 제일 싫어한다. 앞에서는 아무 말 없다가 뒤에 가서 이러쿵 저러쿵 하는 것은 부부생활에도 결코 이로울 일이 못되는 것이었다.

그래서 나는 침묵하시는 하나님께 대해서도 섭섭했다. 모두들 역사의 마지막 장이 넘어가고 있다는데 왜 하나님께서는 바쁘게 뛰고 있는 내게 그런 어려운 문제를 내주셔서 고민과 방황으로 시간을 허비하게 하시는가? 결판낼 것은 속히 결판내고 따질 것은 빨리 따지고 나서 하던 일을 어서 손에 잡아야 하지 않겠는가? 내가 막 결판을 내자며 따지고 있을 때 갑자기 내 눈에는 다가오는 주님의 모습이 보이기 시작했다. 나는 정신을 차리면서 입속으로 부르짖었다.

"좋습니다. 어서 오십시오. 오셔서 한번 따져봅시다!"

따지고 대들면서 나는 너무 화가 나서 눈물을 글썽거리고 있었다. 그리고 그 눈물이 글썽거리는 눈의 뿌우연 시야 속으로 주님의 모습이 마치 초점이 덜 맞은 화면처럼 흐릿하게 다가오고 있었다. 나는 손등으로 눈물을 닦으며 앞을 바라보았다.

"……?"

나는 깜짝 놀랐다. 주님께서 눈물을 흘리고 계셨기 때문이었다. 나는 그만 황송하여 고개를 숙였다. 더 이상 따지고 대들 용기가 없었다. 그저 숨을 죽이고 있는데 그 분의 음성이 들리기 시작했다.

"너는 나를…… 미워하는 하나님, 벌 주는 하나님으로 알고 있었더냐?"

"아, 아니…… 저……."

나는 아무 말도 하지 못했다. 그저 이마에 진땀만 솟고 있었다. 그러다가 나도 덩달아 눈물을 흘리기 시작했다. 무엇이 그렇게 서러운 것인지 알 수도 없었다. 그 분이 울고 계시니 나도 그저 따라서 울고 있을 수밖에 없었던 것이다.

(아니…… 이거 어쩌다 이렇게 되었지……?)

뭔가 따지겠다고 독대를 신청했다가 어이없이 눈물바다만 만들고 말았던 것이다. 결국 나는 그날 눈물만 펑펑 쏟고서 독대를 끝낸 셈이었다. 그러나 그날 기도실을 물러나오면서 나는 많은 생각을 하게 되었다. 마치 세상의 남편들이 아내도 모르는 많은 고민을 가지고 있듯이 하나님께서도 내가 모르는 많은 고민을 가지고 계시는 모양이었다. 내 문제를 가지고 하나님께 독대를 하겠다며 설쳤던 것이 그만 쑥스러워지고 있었다.

그런 생각을 하면서 나는 새 소설의 주제를 거의 잡아가기 시작했다. 〈애토믹 사이언티스트〉지의 표지에 실리는 운명의 시계 바늘이 한때 12시 3분 전까지 치닫고 있더니 소련의 개방 때문에 다시 12분이나 뒤로 돌려져 있었다. 그러나 미국의 프랜시스 후쿠야마 박사가 〈내셔널 인터레스트〉지에 기고한 논문의 제목처럼 이미 세계는 '역사의 종말'에 들어서고 있음에 틀림없었다. 나는 새 소설의 제목을 〈땅끝의 시계탑〉이라 잡아 놓고서 전광판의 시계가 이미 멈추어져 있는 이 마지막 시대를 배경으로 하여 '눈물을 흘리시는 하나님'을 주제로 구상을 시작했던 것이다.

> 너는 이 말로 그들에게 이르라 내 눈이 밤낮으로 끊치지 아니하고 눈물을 흘리리니 이는 처녀 딸 내 백성이 큰 파멸, 중한 창상을 인하여 망함이라 내가 들에 나간즉 칼에 죽은 자요 내가 성에 들어간즉 기근으로 병든 자며 선지자나 제사장이나 다 땅에 두루 다니며 어찌할 바를 알지 못하는도다(렘 14 : 17~18)

그로부터 사흘 후 나는 회사가 지정한 병원에서 임원들을 위하여 실시하는 종합검진을 받았다. 혈압은 140-80으로 정상이었고 종합 판정은 '이상 없음'으로 나왔다. 나는 비로소 하나님께서 나를 시험에서 풀어놓아 모든 것을 정상으로 되돌려 놓으신 것이라 믿고 감사의 기도를 드렸다. 나는 회사 일에도 다시 힘을 얻어 태국의 기업과 대리점 계약을 체결하고 런던에 부품기지를 설치하는 등 수출 드라이브를 계속해 나갔다.

아직도 여건이 좋아진 것은 아니었지만 나의 혈압이 정상으로 돌아간 것으로 보아 어쩐지 하나님께서 모든 일을 호전시켜 주실 것 같은 느낌이었다. 12월에 들어서서도 새로운 대리점을 계약하고 수입판매를 계속 추진하는 등 몹시 바빴다. 소설 〈홍수 이후〉도 이미 탈고하여 홍성사 측에 출판을 의뢰했다. 그러던 중 나는 크리스마스날 아침에 국민일보의 김상길 종교부장으로부터 전화를 받았다.

"메리 크리스마스! 김상길 부장입니다."

나는 깜짝 놀랐다. 늘 바쁜 신문사의 부장이 성탄 인사를 하기 위하여 휴일 아침에 전화를 걸지는 않았을 것이기 때문이었다.

"아니…… 어쩐 일이십니까?"

"어제 통화를 하려다가 주일이라 댁에 안 계셔서 못했습니다만…… 지난 토요일 저희 회사에서 편집회의가 있었는데 새해부터 김 권사님의 장편소설을 저희 신문에 연재하기로 결정을 했습니다. "

"엣……? 새해라면 언제부텁니까?"

"1월 3일자부터입니다."

나는 어처구니가 없었다. 아닌 밤중의 홍두깨도 이만저만이지 오늘이 25일인데 1월 3일부터라니 말도 안되는 것이었다. 더구나 연초의 3일 간은 '헤브론 기도회'의 식구들과 신년 세미나를 위해 강원도 태백의 '예수원'에 가기로 되어 있었던 것이다.

"아니…… 그 무슨……?"

"국민일보의 발행 부수 신장이 김 권사님 손에 달려있습니다. 하나님께 모든 것을 맡기시고 시작해 보십시오."

나는 다시 지난 10월 8일 새벽에 있었던 환상을 생각해 보았다. 그때 나타났던 하얀 비둘기는 나뭇잎으로 '시기'라는 글씨를 썼었다. 하나님의 때 즉 시기(時期)가 가까웠다는 뜻인지 아니면 하나님께서 주신 기회 즉 시기(時機)를 놓치지 말라는 뜻인지는 알 수 없었으나 어쨌든 거역할 수 없는 일이 떨어진 것만은 사실이었다. 나는 구상하고 있던 〈땅끝의 시계탑〉의 첫 장면을 어떻게 할까 머리속에 그려보며 말했다.

"그러면…… 이제부터 어떻게 해야 합니까?"

"삽화를 그릴 분은 기독교 미술상을 받은 이경조(李景兆) 화백으로 정했으니 28일에 만나셔서 함께 사진을 찍어주시기 바랍니다. 우선 사고(社告)는 내일부터 사진 없이라도 내보내려고 하는데 제목을 뭐라고 할까요?"

정말 김 부장의 주문은 홍수처럼 쏟아지고 있었다.

"제목은…… '땅끝의 시계탑'이라고 하지요."

"그 제목 멋있군요. 김 권사님은 역시 다르셔. 마치 다 준비해 놓은 것처럼 척척 나오신단 말야."

"원고는 어떻게 합니까?"

"우선 삽화를 그려야 하니까 한 주일분 원고를 28일까지 보내 주세요. 한 회분이 8매이니까 6일분이면 48매이지요."

“알겠습니다.”

전화를 끊어놓고도 나는 멍하니 앉아있었다. 알겠습니다는 뭐가 알겠습니다란 말인가. 모처럼 휴일이라고 한가로운 자세가 되어 TV를 들여다보고 있던 나는 불에 덴 사람처럼 되어 성탄 예배를 드리고 돌아오자마자 워드 프로세서를 두드리기 시작했다. 나는 어느새 새 소설의 주인공 윤종혁을 따라서 뉴욕의 트레이드 센터 빌딩 속으로 뛰어들어가고 있었다.

그렇게 해서 겨우 한 주일 분의 원고를 넘겨주고 나는 ‘헤브론 기도회’의 식구들과 함께 ‘예수원’으로 향했다. 흰 눈이 덮여있는 아름다운 예수원에서 나는 대천덕 신부님과 만나 담화를 나누며 저으기 위로를 얻을 수 있었다. 또 나는 예수원의 저녁 모임인 만도(晩禱) 시간에 각지에서 모인 형제들에게 간증을 하며 하나님께 영광을 돌리는 시간을 나누었다.

그리고 서울로 돌아오자마자 나는 또 바쁜 생활 속으로 뛰어들었다. 회사의 시무식을 끝내고 곧 사흘 간 임원 세미나가 있었고 새해 업무계획을 점검하는 한편으로 〈땅끝의 시계탑〉 원고를 쫓기듯이 써야 했다. 그러나 나를 정신 못 차리게 몰아가시는 하나님의 계획은 아직도 진행 중에 있었다. 연초의 인사개편을 앞두고 사장이 나를 불렀다.

“아무래도…… 당분간 수출이 어려울 것으로 보여서 해외영업은 기구를 축소해야 되겠어.”

나는 아무 말도 하지 못했다. 국내 경기는 계속 호황이었고 수출 시장은 경기가 위축되어 재고가 쌓이는 형편이었으니 더 이상 할 말이 없었던 것이다. 사장은 네 개의 부서가 있던 해외 영업 부문을 한 부서로 줄이겠다는 것이었다. 네 부서가 하나로 줄어든다면 부장 하나만 있으면 되고 그 상위에 있던 임원은 갈 곳이 없어질 수밖에 없었다. 사장은 내 생각을 읽었다는 듯이 말을 이었다.

"지금 우리 회사의 항공 사업본부가 여러가지 어려운 문제에 부딪히고 있는데……. 그쪽에서 항공 영업분야를 좀 맡아주면 좋겠소."

항공 사업이라면 항공기를 제작하는 분야였다. 새로운 분야이기 때문에 한번 달려들어서 해 볼 만한 사업이기는 했으나 이미 가장 규모가 큰 국가 프로젝트인 '전투기 사업' 프로젝트를 경쟁회사에 뺏긴 다음이어서 대우의 항공기 사업은 전망이 별로 신통치 않은 사업으로 여겨져 왔었다. 그러나 나는 하나님께서 나를 이 첨단 사업분야로 보내시는 것은 또 나름대로 어떤 계획을 가지고 계실는지도 모른다는 생각이 들었다.

"알겠습니다. 또 한번 도전해 보지요."

이렇게 해서 나는 난생 처음인 항공기 사업에 대해서 업무 파악을 하기 시작했다. 세계 어느 메이커를 막론하고 항공기 회사는 그 매출의 70퍼센트 이상이 군용기였다. 항공기 업체는 우선 정부에서 구매하는 군용기 사업을 확보해 놓고 나서 그 여력으로 민수용 항공기를 개발하고 생산하는 것이 전형적인 사업구조였다.

그러나 사상 최대의 군수용 프로그램인 '전투기 사업'을 놓시고 나서 회사는 이미 허탈 상태에 빠져있었다. 최신예 전투기를 면허생산하면서 단계적으로 국산화까지 추진하겠다는 이 의욕적인 프로그램은 그 외형만 하더라도 무려 50억 불에 달하는 엄청난 사업이었다. 회사도 사실은 이 사업을 바라보고 막대한 투자를 시작하여 전투기 동체부터 하청생산을 시작하고 있었던 것이다.

그 외에 아직 몇개의 정부 프로그램이 주계약자가 결정되지 않은 채로 남아있기는 했으나 전투기 사업에 비하면 잔챙이에 불과한 것들이었다. 그래서 당장 회사가 할 수 있는 것은 외국업체들로부터 대응구매에 의한 부품 하청을 받아서 제작 납품하는 일과 민수용 항공기의 부품 또는 반제품을 수주 받아서 납품하는 일들이었다.

내가 우선 해야 하는 일들은 정부의 나머지 프로그램들을 맡을 수 있도록 추진하는 것과 외국의 항공기 회사들로부터 하청 수주를 받는 일들이었다. 외국 회사로부터 하청 수주를 받는 일은 전에 하던 영업 및 수출 업무들과도 관련이 있는 것이어서 한번 뛰어볼 만했으나 문제는 정부 사업을 따기 위한 대정부 활동 쪽이었다.

기업의 대정부 활동이란 개인의 역량도 중요하겠지만 궁극적으로는 그룹 자체의 교섭 능력이 열쇠가 되는데 대우 그룹은 국내의 대기업 중에서도 대정부 교섭 능력이 가장 약한 그룹으로 알려져 있었고 내가 속한 회사는 그 중에서도 이러한 정부 사업에 별로 경험이 없는 회사였던 것이다. 내가 관련 기관에 인사를 다닐 때마다 나를 알아보는 많은 사람들이 반갑게 나를 맞아주었다. 모두 내 책을 감명 깊게 읽었다는 독자들이었다.

"아니…… 이거 김성일 권사님 아니십니까?"

"반갑습니다. 이번에 항공 분야를 담당하게 되었습니다."

"대우에 계시다는 말씀은 들었는데 이렇게 만나뵙게 되어 영광입니다."

"앞으로 잘 부탁합니다."

그러나 업무의 상대자가 나를 알아주는 사람이어서 다행이라고 생각했던 것은 내 생각일 뿐이었다. 담당자들은 내 소설에 대한 이야기를 할 때만 표정이 밝았을 뿐 내가 맡은 일에 대한 설명을 다 듣고 나서는 고개를 갸웃거리는 것이었다.

"그런데…… 어쩌다가 이런 어려운 일을 맡게 되었습니까?"

"회사 일을 하다보면 꼭 마음에 드는 일만 맡아서 할 수는 없지 않겠습니까?"

"그래도……."

상대방은 조금 주저하는 듯하다가 내가 믿을 만한 상대라고 생각했는지 솔직한 의견을 털어놓는 것이었다.

"솔직히 말씀드려서…… 전투기 사업을 뺏겼으니 이미 대우의 항공사업은 끝장난 것 아닙니까?"

"그래도 아직…… 몇가지 사업이 남아있더군요."

"그러나 어디 그런 정도 가지고 항공기 사업을 버티고 나갈 수 있겠습니까? 더구나……."

"더구나……?"

"아시다시피 정부 일이라는 것이 실력의 비교만 가지고 되는 것은 아니지 않습니까? 정치적인 변수도 있고 고위층과도 잘 통해야 하고……."

사실 거기에 대해서는 나도 할 말이 없었다. 하나님께서 왜 나를 이런 막다른 골목으로 몰고 들어가시는 것인지 알 수가 없었다. 나는 일말의 불안감을 안으면서도 웃으면서 대답하는 수밖에 없었다.

"어쨌든 최선을 다해 봐야지요."

"그래야겠습니다만…… 투자해 놓은 설비는 잘 운영되고 있습니까?"

"하청사업이라도 받아서 일꺼리를 만들어야지요. 다행히 그 분야에서는 외국 메이커들이 실력을 인정해 주고 있거든요……."

상대방은 더 이상 나를 실망시키지 않으려고 그러는 것인지 말을 그쯤에서 끝내고 얼버무렸다.

"하여간 잘되셔야 할텐데……."

"잘 부탁합니다."

어쨌든 정부가 나머지 군용기 사업들을 국내 업체들에게 분배할 때 대우는 경전투 헬기의 국내생산과 초등훈련기의 개발사업을 맡게 되었다. 남아있던 군용기 사업들 중에서도 가장 전망이 흐린 사업들이었다. 이제 내가 해야 하는 일은 외국 업체들로부터 하청 물량을 수주해야 하는 것뿐이었다.

그러나 불운하게도 그때쯤 외국의 모든 항공기 업체들은 불황 속으로 곤두박질을 치고 있었다. 군용기 쪽에서는 소련과 동구권이 무너지면서 군축 무드가 조성되어 군용 항공기의 수요가 완전히 정체상태였다. 또 민수용 항공기는 미국의 대형 항공사들이 작은 업체들을 도태시키기 위해서 요금의 덤핑 전략을 쓰고 있었기 때문에 많은 항공사들이 도산 또는 합병되고 항공사들의 비행기 구매도 급격히 줄고 있었던 것이다.

어쨌든 이 업무를 맡으면서 개인적으로 전혀 소득이 없는 것은 아니었다. 세계 유수의 항공기 업체와 군수 업체들의 최고 경영자들과 만나면서 이들의 생태와 세계전략을 넘겨볼 수 있게 되었던 것이다. 결국 이들이 긴장과 이완이 반복되는 세계를 주무르면서 돈을 벌고 있는 자들이었다. 국가 원수들이 점잖게 정상회담을 열고 있는 이면에도 이런 무기의 거래가 늘 중요한 과제로 따라다니고 있었다.

나는 이 업무를 들고 다니면서 항공기에 대한 많은 공부를 했다. 또 국민일보에 연재하고 있던 〈땅끝의 시계탑〉에서는 윤종혁과 KGB의 마슈로프 대령이 복좌 훈련기를 타고 벌이는 공중전 장면을 실감나게 연출할 수가 있었던 것이다.

그러는 가운데 〈홍수 이후〉 전 4권이 완간되어 나왔고 〈신앙계〉에 연재하던 〈성경과의 만남〉도 국민일보사 출판국에서 출판이 되었다. 이 책들이 나오면서 나는 또 베스트 셀러 작가로 부각되기 시작했다. 〈성경과의 만남〉은 계속해서 책을 찍어내는데도 독자들은 서점에서 책을 구할 수가 없다고 아우성이었다. 며칠 후에 오라고 해서 가 보면 또 책이 없더라는 것이었다. 나중에 알고 보니 책이 나오면 한 사람이 와서 50권 100권씩 전도용으로 사간다는 것이었다.

그렇게 하나님의 일은 잘되어 가는데 회사에서의 일은 계속해서 고전이었다. 그러던 어느 무덥던 여름날 나는 동인지 '산문시대'(散文時代)를 함께 했던 작가 김승옥으로부터 전화를 받았다. 대학생 시절에 동인지를 같이 하자며 보문동의 우리 집을 그와 함께 찾아왔던 평론가 김현이 간암에 걸려서 입원해 있는데 함께 문병을 가자는 것이었다.

이미 예수를 영접하고부터 절필을 하고 있는 김승옥과 역시 소설을 쓰면서 목회를 하고 있는 현의섭 목사와 함께 서울대병원을 찾아가 보니 김현의 배는 복수로 부풀어 올라있었다. 김현의 아버지가 장로였다는 사실을 나는 그에게서 듣고서야 알았다. 우리는 그를 위해서 함께 기도를 하고 그에게 예수를 영접하도록 권했다. 그렇게 하고 돌아온 한 주일 후 나는 그가 운명했다는 소식을 신문에서 읽게 되었다.

(왜 이렇게 급하게 데려가시는가…… 어지간하면 이런 똑똑한 친구를 고치셔서 주님 나라의 일을 위해 쓰실만도 한데.)

미처 회개하고 돌아서서 하나님의 나라를 위해 봉사할 틈도 없이 마구 데려가시는 걸 보면 정말 이제는 종말이 가까운 것 같기도 했다. 나는 긴박하게 밀려오는 종말의 발자욱 소리를 들어가며 소설 〈다가오는 소리〉를 구상하기 시작했다.

매일 매일 여리고 성을 돌고 있는 히브리 군대의 행진을 내려다보며 공포에 떨고 있었을 여리고 성의 주민들과 그 가운데서 자신들의 신앙이 잘못된 것을 깨닫고 참 하나님을 찾아서 만날 수 있었던 기생 라합의 이야기를 줄거리로 하여 새 소설을 구상하기 시작했던 것이다. 언제나 쓰고 있는 소설을 다 끝내기 전에 다음 소설을 구상해 온 것이 초조한 종말론적인 시대를 살아가는 내 습관이었다.

그러나 그해 11월 다시 정기 건강진단을 받은 나는 또 한번 가슴이 내려앉게 되었다. 혈압이 170－100으로 올라가 있었고 위의 내벽에도 이상이 나타났다며 내시경 검사를 받으라는 것이었다.

(어쩐 일인가? 하나님께서 나를 풀어주시는 것 같더니 다시 나를 가두시는가?)

이제는 더 이상 우물거릴 수가 없을 것 같았다. 보따리를 싸들고 오산리 기도원으로 들어갔다. 새벽에 출발하는데 유난히도 날씨는 포근해서 마치 하나님께서 보내주신 천군천사가 나를 환영해 주는 것 같았다. 금식을 위해 물통을 사고 3박 4일 예정으로 등록을 했다. 첫 집회의 시작은 찬송가 186장으로 시작하고 있었다.

내가 주께로 지금 왔으니
십자가의 보혈로 날 씻어주소서

설교 시간마다 말씀을 받아적었고 쉬는 시간이면 기도굴을 찾았다. 응답을 받아내기 위해서 나는 초조한데 만나는 사람들마다 나를 알아보고 인사를 한다. 나를 만난 어떤 신학생들은 국민일보에 연재되고 있는 〈땅끝의 시계탑〉을 감명 깊게 읽는다며 몹시 흥분하고 있었다. 또 어떤 열광적인 팬들은 사인을 해 달라고 조르기도 했다.

(아, 주여…… 저는 죄인으로 잡혀왔는데.)

두번째 날 오후에 역시 나는 기도굴에 꿇어앉아 있었다. 다급한 목소리로 나는 부르짖었다.

"주여, 저에게 무엇을 바라십니까?"

나는 이미 많은 기도 끝에 하나님의 일들을 글로 쓰는 것이 나에게 주신 사명이라는 결론을 끌어냈었다. 그래서 나는 글로써 하나님의 성전을 건축하리라고 결심했던 것이다. 그리고 그 일은 제법 성공적으로 성취되어 가고 있었다. 저렇게 많은 독자들이 감동을 받고 또 어떤 사람들은 내 소설을 읽고서 예수를 믿게 되었다고 하는데 하나님은 그것 외에 또 무엇을 내게 원하고 계시는 것인지 이해할 수가 없었던 것이다.

"말씀하옵소서! 무엇을 원하십니까?"

그런데 갑자기 공중으로부터 이해하기 어려운 음성이 들렸다.

"나는 네가 자유로워지기를 바란다."

"엣……?"

나는 내 귀를 의심했다. 혈압을 다시 170-100으로 올려놓으시고 위벽에다 이상한 것까지 만들어 놓으시고 이제 또 '자유로워지기를' 바라신다니 이게 도대체 무슨 헷갈리는 말씀이신

가 이해할 수가 없었던 것이다.

(자유…… 도대체 자유란 무엇인가?)

얼떨떨한 마음으로 오후 집회에 들어갔는데 강사는 하나님께서 이사야를 부르시는 대목을 말씀하고 계셨다.

> 내가 또 주의 목소리를 들은즉 이르시되 내가 누구를 보내며 누가 우리를 위하여 갈꼬 그때에 내가 가로되 내가 여기 있나이다 나를 보내소서(사 6 : 8)

또 보낸다는 이야기가 나오고 있었다. 요나는 가라는 명령을 받고서 다시스로 도망 치다가 풍랑을 만나 물고기 뱃속으로 들어갔는데 이사야는 하나님의 명령을 받고 즉시 그 부르심에 응했다는 이야기였다. 그러자 마음속으로부터 슬그머니 한 가지 생각이 고개를 들고 일어서기 시작했다.

(내가 미국으로 갔다면 무슨 일을 할 수 있었을까? 새롭게 하소서 팀과 다니면서 어떤 성과를 거둘 수 있었단 말인가?)

셋째날의 설교는 세계선교의 비전에 관한 것이었다. 요셉이 채색옷을 입고 자라나 애굽의 총리가 되었듯이 아이들에게 색동옷을 입혀서 길러온 한국이 이제는 마지막 때의 총리 나라가 되어 비축해 놓은 하나님의 말씀을 세계 모든 족속에게 보급하자는 것이었다. 3박 4일의 집회는 시편 34편의 말씀으로 끝났다.

내가 여호와께 구하매 내게 응답하시고 내 모든 두려움에서 나를 건지셨도다 저희가 주를 앙망하고 광채를 입었으니 그 얼굴이 영영히 부끄럽지 아니하리로다(시 34 : 4~5)

기도원에서 내려온 그날 나는 회사로부터 전화를 받았다. 회장의 장남이 미국에서 교통사고로 사망했는데 오늘 저녁에 시신이 도착하니 모든 임원들은 검은 상복을 입고 정동교회로 모이라는 것이었다. 회장은 그 어머니 전인항 권사를 위하여 정동교회의 신관 건물을 지어서 헌납한 일이 있었기 때문에 아들의 영결식을 그 정동교회에서 하려는 모양이었다.

(기도원에서 내려오자마자 이게 무슨 일인가……?)

회장의 장남은 미국의 보스톤에서 공부를 하고 있었다는 것이었다. 다시 나를 괴롭게 하는 생각이 지나갔다.

(내가 만일 88년에 미국에 갔었다면……)

미국의 동부를 순회하던 새롭게 하소서 팀이 보스톤에서 집회를 하면 대우의 임원이 강사라는 말을 듣고 회장의 아들이 그 집회에 왔었을는지도 모르고 그 간증을 듣고 예수를 믿게 되어 그 부모에게 전도를 했을는지도 모르는 것이었다. 그렇다면 내가 미국에 안 간 것은 바로 저 하얀 비둘기가 써 놓았던 '시기'(時機)를 놓친 꼴이 되는 것이었다.

"네가 내 말을 안 들어서 내 계획에 차질이 생겼다!"

마치 그렇게 말씀하며 탄식하시는 하나님의 음성이 들리는 것 같았다. 칠흑 같은 그 밤에 검은 옷의 사람들이 모여들고 있는 가운데서 나는 또 두려움에 떨고 있었다. 시신은 밤 늦게 도착했고 회장의 통곡하는 소리가 안에서 들려나왔다. 이윽고 문상이 시작되었다. 임원들이 한 줄로 늘어서서 진행하며 회장과 인사를 하는데 나는 앞의 사람 때문에 가리워져서 잠시 악수만 했을 뿐 말 한마디도 제대로 나눌 기회가 없었다. 뒤늦게 이제라도 전도를 해 보려 했지만 정말 기회는 이미 지나가 버린 모양이었다.

다음날 아침에 영결 예배가 있었는데 빈소에 꽃 한송이를 놓고 회장과 인사를 하려다보니 앞에 서 있던 한 일본 손님이 한참 동안 조문의 말을 늘어놓는 바람에 나는 또 전도의 기회를 놓쳐 버렸다.

그로부터 한 주일 후에 나는 창원공장에서 항공본부장과 함께 회장에게 사업 설명을 할 기회가 있었다. 이번에는 꼭 해야지 하며 나의 간증집 〈사랑은 죽음같이 강하고〉와 〈성경과의 만남〉을 한 권씩 준비해 가지고 기다렸다. 그러나 회장은 다른 업무보고를 받느라고 시간을 많이 써서 우리에게 돌아오는 시간이 적었다. 본부장과 함께 간단히 업무보고를 마치고 난 뒤 우선 책을 전달한 다음 간단한 위로의 말을 하려 했는데 성령께서 엉뚱한 한마디를 토해 놓게 하셨다.

"회장님, 회사의 중요한 행사를 할 때마다 예수를 믿는 사원들을 괴롭히는 일이 있습니다."

"뭐지?"

"돼지 머리를 놓고 절하는 일은 안하셨으면 좋겠습니다."

"아, 그거…… 그거 신앙과는 아무 상관 없는 일이야. 그건 그저 민속일 뿐이야, 민속이라구!"

회장이 타고 갈 헬기가 이미 시동을 걸고 있었다. 회장이 일어서자 나는 따라서 일어서며 다시 말했다.

"회장님, 하나님께서 싫어하시는 일은 안하시는 것이 좋습니다."

회장은 나가면서 말했다.

"책…… 고맙네."

그것이 그만이었다. 나는 할 말을 다하지 못한 것처럼 뒷맛이 씁쓸한 채로 서울에 올라와 병원에서 내시경 검사를 받았다. 조직검사 결과 위벽에 생긴 폴립은 일단 문제가 없는 것으로 나타났으나 혈압은 한계치를 넘었으니 혈압 강하제를 복용하라는 것이었다. 약을 받는 창구에 줄을 서서 기다리며 나는 누군가 나를 아는 사람이 볼까봐서 전전긍긍했다. 성경을 소재로 한 많은 글을 쓰고 베스트 셀러 〈성경과의 만남〉을 쓴 김성일이 병원의 약 타는 창구에서 줄을 서 있는 꼴을 본다면 어떤 생각을 하게 될 것인가 두려웠던 것이다. 그러나 그것은 아직 시작이었다. 더 큰 시련이 또 입을 벌린 채 나를 기다리고 있었다.

바위 틈에 가두시고

많은 사람들이 한국의 90년대에는 통일의 시대가 열리고 한국 교회가 맡겨진 선교의 사명을 다하게 되며 더 나아가서는 인류의 역사 6천 년이 마감되는 마지막 시대가 될는지도 모른다고 말하고 있었다. 그런 기대와 소망의 시대가 시작되는 1990년을 나는 교차하는 빛과 그림자 속에서 허둥지둥 보내고 있었다.

수출 담당이 되어 기세 좋게 시작했던 건설장비의 수출은 국내 경기의 호황 때문에 해외 대리점의 요구대로 물량을 대주지 못하다가 다시 유럽의 경기가 위축되는 바람에 마침내 조직이 축소되는 수모를 겪고 말았다. 결국 나는 건설장비 수출에서 손을 떼게 되었고 전망이 불투명한 항공 분야의 업무를 새로 맡아서 고전하고 있었다. 게다가 잠시 정상으로 돌아갔던 혈압은 다시 올라가서 나는 의사의 지시에 따라 매일 하얀 혈압 강하제를 한 알씩 먹어야 하는 신세가 되었던 것이다.

그러는 동안에 지구상에는 또 한번 종말론적인 현상을 상징하는 사건이 일어났다. 늘 쿠웨이트의 배신행위를 비난하고 있던 이라크가 그해 8월 2일 쿠웨이트를 침공하여 집어삼겨 버린 사건이었다. 이 사건이 일어나자 전세계는 갑자기 술렁거리기 시작했다. 특히 페르샤 만에서 발생한 긴장 때문에 석유 수송이 차단될 것을 염려한 비산유국들이 석유의 사재기를 시작해서 석유값이 치솟기 시작했다. 이라크 대통령 사담 후세인에게 쿠웨이트로부터 철수하라고 요구하던 미국과 영국은 마침내 중동지역에 군대를 파견하기 시작했고 이에 동조하는 나라들이 덩달아 군대를 파견하여 결국 28개국의 다국적군이 중동지역에 몰려들게 되었다.

TV의 화면은 연일 중동지역에 집결하는 다국적군의 규모와 그들의 최신장비들을 소개하고 있었다. 중동에 전운이 감돌자 세계의 언론은 이것이 바로 요한계시록에 나오는 아마겟돈 전쟁이 될는지도 모른다고 경고했다. 한국의 신문들도 저마다 요한계시록을 인용하는 종말론적인 컬럼들을 싣고 있었다. 어쨌든 이 페르샤 만의 사태는 나를 더욱 곤경에 몰아넣고 있었다. 석유값의 상승으로 불황은 더욱 깊어지고 항공기의 부품을 수출해야 하는 나의 시장은 점점 더 암담해지고 있었던 것이다.

그러나 세상 쪽의 일과는 반대로 하나님의 사업 쪽에서 나는 매우 성공적이었다. 대하소설 〈홍수 이후〉 네 권이 홍성사에서 완간되었고 새 장편소설 〈땅끝의 시계탑〉이 국민일보에 연재되는 한편으로 컬럼집 〈성경과의 만남〉이 출간되면서 나는 일약 인기작가로 올라서게 되었다. 독자들의 편지와 전화가 줄을 이었고 가는 곳마다 독자들이 내 얼굴을 알아보고 쫓아와서 반가워하며 사인을 부탁했다. 스크린이나 브라운관에서 얼굴이 잘 알려진 배우나 가수들에게나 그런 일이 있는 것으로 알았는데 글을 쓰는 작가가 그런 인기를 누린다는 것은 생각도 못해 본 일이었다.

또 미국과 유럽 등 해외에 나가서 살고 있는 독자들까지 전화를 걸어왔고 어쩌다 고국에 들르러 온 교포들은 사진 한 장만 같이 찍자고 회사로 찾아올 정도였다. 해외 한인교회의 목사님들은 왕복 비행기표를 보낼테니 제발 좀 와달라고 부탁을 해 왔다. 그럴 때마다 나는 저 기독교 방송의 요청에 응하지 못했던 일이 다시 생각나서 가슴이 뜨끔하면서 그들에게 죄송하다는 말을 거듭해야 했다.

"죄송합니다. 직장 때문에……."

"그렇겠군요. 그러면…… 혹시 업무 관계로 이쪽 지역에 출장을 오시게 되면 꼭 알려주십시오."

"알겠습니다."

집회 요청을 해 오는 것은 해외뿐만이 아니었다. 국내에서도 간증집회, 신앙강좌, 수련회 등 수없이 집회 요청이 쏟아져 들어오는데 도무지 일일이 응할 수가 없었다. 나는 또 그들에게도 죄송하다며 양해를 구해야 했다.

"죄송합니다. 직장 때문에 평일에는 안되고 주일날 저녁에만 초청에 응하고 있습니다."

"그러면…… 주일 저녁은 언제가 가능합니까?"

"앞으로 1년치가 벌써 다 예약이 되어 있습니다."

“어휴…….”

상대방은 한숨을 쉬다가 그럼 1년 후라도 예약을 해 달라고 요청하는 분도 있었다. 그러나 더 문제는 지방에서의 요청이었다. 나는 물론 지방으로부터의 요청을 다 사절할 수가 없어서 힘이 닿는 데까지는 해 보려고 애를 썼다. 본교회에서 주일 예배를 드리고 비행기로 내려가서 저녁 집회를 끝내면 돌아올 때에는 주로 야간 열차에서 대강 눈을 붙였다가 월요일 새벽에 서울역에 내려서 회사에 출근하는 식이었다.

다행히 사무실이 서울역 앞에 있어서 그렇게나마 할 수가 있었지만 그런 일도 자주 할 수는 없는 것이어서 될 수 있는 대로 지방에서의 요청은 직장 일을 핑계대어 사양을 했다. 그럴 때마다 또 지방에 계시는 목사님들의 불만은 대단했다. 그 중에서도 경상도 지역의 목사님들 중에는 성격이 급하신 분들이 많았다.

“아니…… 지방에 있는 성도들은 이레 무시하깁니꺼?”

“죄송합니다. 직장 때문에 그렇습니다. 예수 믿는 사람들은 직장생활도 모범적으로 잘 해야 하니까요.”

“그라모 아예 직장을 그만둬삐지 말라꼬 계속합니꺼? 묵고 사는기야 우리 주님께서 다 보장해 주시지 않겠심꺼?”

사실 내가 직장생활을 계속하고 있는 것은 그 목사님 말씀대로 먹고 사는 일 때문만은 아니었다. 나는 늘 현장감 있는 소설을 쓰기 위해서는 직접 그 현장 속에서 부딪히며 체험하는 것이 최선이라고 생각해 왔다. 그런 의미에서 내가 일하고 있던 대기업이라는 조직은 현대의 종말론적인 상황을 몸으로 체험하는데 가장 좋은 현장이었던 것이다.

요한계시록이 예고해 놓은 대로 현대사를 요리해 가고 있는 것은 세계를 누비고 다니는 장사꾼들 곧 오늘날의 대기업이라고 할 수 있었다. 공룡처럼 거대하게 몸을 부풀린 각국의 대기업들은 서로의 이득을 움켜가기 위하여 세계 시장에서 콧김을 뿜어가며 싸우고 있었다. 그래서 지구촌의 종말론적 상황이 가장 긴박하게 벌어지고 있는 최전선은 바로 대기업의 사업 현장이라고 해도 과언이 아니었던 것이다.

대기업들의 싸움터는 탐욕이 꿈틀거리고 살기가 번뜩이는 바로 종말론적인 투쟁의 현장이었다. 또 그 전쟁을 수행하기 위하여 대기업들이 만들어 낸 피라미드형 조직의 내부에서는 치열한 경쟁에서 살아남기 위한 갈등과 음모가 난무할 수밖에 없었다. 내가 쓰고 있는 소설들은 모두 그런 투쟁의 현장속에서 직접 체험하고 느끼며 쓴 것들이기 때문에 생생한 현장의 소리를 전달할 수가 있었다. 그리고 바로 그 점 때문에 나와 똑같은 시대를 살아가는 독자들에게 더 큰 공감과 감동을 줄 수가 있었던 것이다.

내가 직장을 쉽게 그만두지 못하고 망설여 온 것은 그런 치열한 스트레스를 포기했을 때 소설의 현장감을 상실하게 될지도 모른다는 염려가 그 첫번째 이유였다. 그 밖에 내가 직장을 그만두지 못하고 있었던 또 하나의 이유는 물론 아내의 반대 때문이었다. 이미 나는 83년부터 그만두겠다는 말을 꺼냈다가 아내의 거센 반대에 부딪혔었고 또 그때에는 아내의 말에 따랐던 것이 오히려 좋은 결과를 가져왔기 때문에 나는 항상 아내의 의견을 존중해 왔던 것이다. 그러나 집회를 요청해 오는 목사님들의 불만이 그토록 커지자 나는 다시 한번 아내의 의중을 타진해 보았다.

"여보…… 이제는 인세 수입만으로도 그럭저럭 살아갈만 하니 아예 직장을 그만두고 하나님의 일에 전념하면 어떻겠소?"

그러나 아내의 태도는 여전히 강경했다.

"인세라는 것은 책이 팔리는데 따라서 달라지는 것이지 고정수입이 아니잖아요? 이제부터는 아파트 부금도 붓기 시작해야 하고 아이들도 대학에 들어가야 하는데 그까짓 인세 수입으로는 어림도 없어요."

아내는 내가 좁은 방안에서 글을 쓸 때마다 미처 정리해 놓지도 못한 채 산더미처럼 쌓아놓은 자료를 뒤져가며 애쓰는 것이 보기에 안쓰러웠던지 자료를 정리할 수 있을 정도만큼이라도 평수를 늘려가기 위해 새 아파트를 청약해 놓고 있었던 것이다.

"허지만 그거야…… 하나님께서 어떻게 해 주시지 않을까?"

"사람이 할 일을 다하면서 하나님의 도우심을 바라야지 무조건 하나님께서 어떻게 해 주시겠지 하고 기대는 것은 그게 바로 기복신앙이라구요."

10년 전에는 아브라함이 누군지도 모르던 아내가 이제는 제법 나를 타이르려고 드는 것이었다. 아내는 내가 자꾸만 딴 생각을 할 것 같아 보였는지 아예 한마디로 못을 박았다.

"최소한도 큰아이가 대학을 졸업하고 결혼할 때까지는 아무 생각도 하지 마세요."

아내가 말하는 큰아이 예나는 그해에 고3이었다. 그 아이가 순조롭게 대학에 들어가고 졸업을 하자마자 결혼한다고 하더라도 앞으로 4년이나 남아있었다. 나는 손가락 넷을 꼽아보며 그때를 기다리는 수밖에 없었다. 그러나 바로 그 큰아이에게 또 문제가 생겼던 것이다.

큰아이 예나는 생긴 모습도 나와 많이 닮았지만 성장과정에서도 나와 비슷한 점이 많았다. 그 아이도 나처럼 이미 네 살 때 한글을 다 배웠고 다섯 살 때부터는 중학생들이나 읽는 소년잡지를 즐겨 읽었다. 딸이기 때문에 어려서부터 피아노도 가르쳤고 아이가 국민학교를 졸업할 때쯤에는 이미 칸트와 니이체를 읽을 정도로 조숙해 있었다.

그 아이가 중학교를 졸업할 때에는 전교 수석을 해서 교육감 상을 받을 정도였기 때문에 우리 부부는 아이의 공부에 대해서는 그다지 신경을 쓸 필요가 없었다. 우리는 예나를 수재들이 모인다는 대원 외국어학교에 보내놓고 불어를 공부시켰다. 그 학교는 대학 입시에서도 소위 일류대학에 매년 2백 명 이상을 합격시키는 소문난 명문이었기 때문에 우리는 별로 걱정을 하지 않았던 것이다.

그러나 워낙 수재들이 모인 학교여서 위축이 되었는지 딸의 성적은 그리 뛰어나지 않았다. 입학 원서를 낼 때에 나는 하나님이 겸손한 사람을 좋아하신다며 딸을 설득하여 평소의 실력보다 20점이나 낮추어서 연세대 불문학과를 지원하도록 했다. 안전하게 가자는 뜻이었다.

그러나 시험을 치른 아이의 표정이 썩 좋지가 않았다. 평소에 제일 약하다고 생각했던 과목이 수학이었는데 그 수학 과목의 문제가 상당히 어렵게 나왔다는 것이었다. 그러나 나는 아직도 걱정하지 않고 있었다. 20점이나 낮추어서 넣었으니 아무리 수학 과목을 잡쳤다고 하더라도 그게 무슨 상관이랴 하는 생각이었다.

합격자 발표를 하는 날 나는 차를 몰고 연세대로 향했다. 주차장에 차를 세워놓고 발표장으로 향하면서 조금씩 가슴이 떨리기 시작했다. 멀리서 보니 이미 합격한 아이들이 자신의 번호 앞에서 기념 촬영을 하고 있었다. 비디오 카메라를 가지고 나온 극성파 부모들도 있었다. 발표장 앞으로 다가가면서 나는 웬지 자꾸만 떨리는 마음을 간신히 가다듬고 있었다.

(아니……?)

불문학과에 딸 아이의 번호가 없었다.

(이럴 수가……)

눈을 씻고 보아도 그 번호는 없었다. 혹시나 해서 2지망과 3지망 쪽까지 찾아보았지만 그쪽에도 내 아이의 번호는 없었다. 딸 아이는 확실하게 떨어진 것이었다. 다리가 후들후들 떨려왔다.

(어떡하지…… 어떡하지……?)

큰딸은 유난히 몸이 가냘픈 편이었다. 혹시라도 이상이 있을까봐 걱정이 되어 병원에 데리고 가서 엑스 레이 사진을 찍어 보았을 정도였다. 게다가 시력도 좋지를 않았다. 이제 대학에 들어가면 보약이라도 좀 먹이면서 푹 쉬게 해야 되겠다고 생각했었는데 그 계획이 모두 허망하게 꺼져버렸던 것이다.

(큰일났다……)

자꾸 큰일났다는 생각만 했지 장차 어떻게 해야 한다는 생각은 전혀 떠오르지도 않았다. 차를 몰고 회사로 돌아오면서도 도무지 손이 떨려서 운전을 할 수가 없을 지경이었다. 나는 지금까지 불합격이라는 것을 전혀 모르고 살아왔기 때문에 그 충격은 더욱 큰 것이었다. 회사에 돌아와 내키지 않는 마음으로 집에 전화를 걸었다. 아내는 벌써 울먹이고 있었다.

"여보…… 번호가 없더구만."

"알고 있었어요."

아내는 이미 방송국에다 전화를 걸어서 결과를 알아본 모양이었다. 나 역시 눈물이 핑 돌았지만 태연하려 애쓰며 아내에게 말했다.

"너무 실망하지 않도록 예나를 위로해 주구려. 하나님께서…… 더 좋은 계획을 준비하실 것이라고 말이오."

그날 나는 하루 종일 일이 손에 잡히지를 않았다. 불합격이란 단어가 얼마나 처절한 의미를 가지고 있는 것인가를 나는 실감하고 있었다. 기도를 들어주지 않으신 하나님의 뜻도 헤아리기가 어려웠다. 도대체 내가 어떤 과정에서 잘못한 것인지

도무지 이해가 가지를 않았다. 딸을 위해서 기도도 많이 했고 원서를 쓸 때에는 겸손해야 한다고 성경적으로 생각하여 낮추어서 지망을 했는데 결과는 실패로 끝나고 말았던 것이다.

(하나님께서는 또 나를 당황하게 만드셨어……)

어쨌든 사람이 아무리 최선을 다한다 하더라도 그것이 하나님의 뜻에 맞지 않으면 들어주시지 않는 것이라고 생각하는 수밖에 없었다. 잘난 척만 하던 내가 뭔가 또 잘못 짚었던 것임에 틀림없었다. 나는 다시 이 사건이 내게 주는 성경적인 교훈을 생각해 보았다.

(우리 모두에게는 정말 중요한 입학시험이 남아있다. 바로 천국의 입학시험…… 그 시험에서는 한번 떨어지면 재수를 할 기회도 없는 것이다. 과연 나는 그 시험에서 합격할 수 있는 것인가?)

아직도 나는 하나님께서 88년부터 출제하신 '요나의 문제' 하나도 제대로 풀지 못하면서 쩔쩔매고 있었다. 시험장 밖에서 초조하게 나를 바라보고 계시는 나의 담임 선생님이신 예수 그리스도의 긴장한 표정이 보이는 것 같았다. 내가 그 중요한 시험에서 떨어질까봐 마치 내가 딸의 발표장에서 떨고 있었듯이 예수께서도 그렇게 떨고 계시는 것 같았다.

그날 나는 초상집처럼 되어 있을 내 집을 생각하며 무거운 마음으로 귀가했다. 예상했던 대로 집안은 온통 눈물 바다였다. 나는 옷도 갈아입지 않은 채로 식구들을 모아놓고 예배를 인도했다. 우리는 찬송가 342장을 함께 불렀다.

어려운 일 당할 때 나의 믿음 적으나
의지하는 내 주를 더욱 의지합니다
세월 지나갈수록 의지할 것뿐일세
아무 일을 만나도 예수 의지합니다

성령께서 내 맘에 밝히 비춰주시네
인도하심 따라서 주만 의지합니다
세월 지나갈수록 의지할 것뿐일세
아무 일을 만나도 예수 의지합니다

눈물로 뒤범벅이 된 찬송가를 부른 후에 나는 사도행전 20장에서 사도 바울이 성도들의 전송을 받으며 예루살렘으로 들어가는 장면을 가지고 식구들을 위로했다. 늘 로마에 가고 싶어했던 바울은 로마와는 반대 방향인 예루살렘으로 들어가서 체포되었다. 그러나 그는 결국 나중에 알렉산드리아호를 타고 율리오 백부장의 호위를 받으며 로마로 가게 되었던 것이다. 하나님께서 오늘 우리 가족을 원하지 않는 방향으로 가게 하셨지만 그 길이 바로 지름길이 될는지도 모른다는 것이 내 설교의 요지였다.

설교를 한 다음 나는 하나님께 감사의 기도를 드렸다. 무슨 일을 당하더라도 우선 감사하라는 바울의 권고가 생각났기 때문이었다. 나는 이런 어려운 일을 허락하신 하나님께서 반드시 더 좋은 계획이 있을 것으로 믿고 그 좋은 일에 대해서도 미리 감사를 드린다고 기도했다. 그렇게 나는 가족들 앞에서 의연한 모습으로 예배를 인도했지만 새벽기도회에 나가서 하나님께 부르짖는 나의 기도는 좀더 절박한 것이었다.

"딸에게 걸었던 저의 기대는 무너졌습니다. 이제 저는 제가 딸을 위하여 계획할 수 있는 것이라고는 아무 것도 없다는 것만을 깨달게 되었습니다. 이제는…… 주님께서 나서실 차례입니다. 주님께서 어떻게 하실는지 저는 두고 볼 것입니다. 다만 당신의 뜻을 이루기까지…… 아내와 예나가 견디지 못하여 쓰러지지 않도록 그것만을 부탁드립니다."

내가 절박한 심경으로 그렇게 기도를 드리고 있을 때 문뜩 눈 앞에 펼쳐져 있는 성경이 보였다. 펼쳐진 곳은 바로 출애굽기 33장의 마지막 부분이었다. 나는 목마른 사슴처럼 그 부분을 읽어내려갔다. 하나님께서 정말 범죄한 이스라엘 백성을 용서하셨는지 궁금했던 모세가 주의 영광을 보여달라며 증거를 요구했을 때 하나님께서는 이렇게 말씀하셨다.

"네가 내 얼굴을 보지 못하리니 나를 보고 살 자가 없음이니라."

그렇게 말씀하시고 나서 하나님께서는 모세를 바위틈에 몰아넣으시고 그 손으로 모세를 덮으시며 그의 위로 지나가셨다.

> 내 영광이 지날 때에 내가 너를 반석 틈에 두고 내가 지나도록 내 손으로 너를 덮었다가 손을 거두리니 네가 내 등을 볼 것이요 얼굴은 보지 못하리라(출 33 : 22~23)

나는 그것이 바로 하나님께서 나에게 주시는 말씀이라고 생각했다. 하나님께서는 지금 그 손으로 우리의 집을 덮고 계셨다. 우리는 지금 앞뒤가 모두 캄캄하여 지척을 분간할 수도 없는 어둠 속에 갇혀버렸지만 그것은 바로 여호와의 영광이 우리 가정의 위를 지나가고 계시다는 증거였다. 그 분이 지나가고 나신 후에야 우리는 비로소 그 분의 뜻을 알게 될 것이었다.

(그렇다. 하나님께서 그 사랑하는 자를 바위 틈에 가두시고 그 손으로 덮으시는 것은 지금 머리 위로 그 분이 지나가고 계신다는 뜻이다!)

나는 그 놀라운 비밀을 크게 깨닫고 힘을 얻어서 찬송가 446장을 부르기 시작했다.

오 놀라운 구세주 내 주 예수
참 능력의 주시로다
큰 바위 밑 샘 솟는 그곳으로
내 영혼을 숨기시네
메마른 땅을 종일 걸어가도
나 피곤치 아니하며
저 위험한 곳 내가 이를 때면
큰 바위에 숨기시고
주 손으로 덮으시네

그날 새벽에 하나님께서는 내게 10년 간 맡아왔던 교회의 청년부장 직분을 내놓으라고 명령하셨다. 나는 이제 정말로 하나님의 캄캄한 바위 틈으로 들어가는 셈이었다. 나는 미련 없이 청년부장 직분을 내놓고 나서 헤브론 기도회와 함께 신년 수련회를 떠났다. 91년의 헤브론 신년 수련회는 정말 쓸쓸하기 짝이 없었다. 낙방의 충격에서 아직 헤어나지 못한 예나는 집에 남았고 예훈이도 누나를 위로하겠다며 함께 남았다. 우리는 막내만 데리고 수련회를 참가하는 수밖에 없었다

나는 그해에 정말로 지척을 분간할 수 없는 바위 틈에 갇혀 버렸다. 딸은 학원에 등록을 하고 본격적인 재수생의 길로 들어섰으나 집안의 분위기는 어쩔 수 없이 늘 어두웠다. 회사의 일도 좀처럼 좋은 전망이 보이지 않았고 교회에서도 이제 모든 직분을 내놓았으니 매일 나가는 새벽기도만이 내가 할 수 있는 일의 전부였다. 한창 인기가 올라가기 시작할 때 갑자기 다가온 이 어두움 때문에 몹시 당황하면서 나는 또 그 어두움의 성경적인 의미를 찾아보려고 애썼다.

사도 바울은 그 육체의 병을 고쳐달라고 하나님께 세 번이나 기도했는데 하나님께서는 '내 은혜가 네게 족하도다' 하시면서 바울의 간구를 들어주시지 않았다. 그것은 바울로 하여금 자고(自高)하지 않고 하나님께 의지하도록 하기 위함이었다. 그것을 깨닫고 바울은 이렇게 썼다.

그러므로 내가 그리스도를 위하여 약한 것들과 능욕과 궁

핍과 핍박과 곤란을 기뻐하노니 이는 내가 약할 그때에 곧 강함이니라(고후 12 : 10)

그래서 바울은 늘 자신이 예수 안에 갇혀있는 것만을 감사하고 있었다. 바울의 편지인 에베소서를 읽어보면 그 1장에는 '그리스도 안에서'가 일곱 번이나 나오고 2장과 3장에는 '그리스도 예수 안에서'가 또 일곱 번 나오다가 마침내 4장에서는 '주 안에서 갇힌 내가……'라는 말로 시작되고 있는 것이다.

그래서 나는 그저 바울처럼 주님 안에 갇히게 된 것만을 감사하는 수밖에 없었다. 그렇게 답답하고 우울한 시간을 보내고 있던 1월 17일 새벽, 마침내 '사막의 폭풍'이라는 이름의 걸프 전쟁이 시작되었다. 사담 후세인에게 쿠웨이트 철수를 강력하게 요구하고 있던 부시 대통령이 마침내 개전 명령을 내린 것이었다. 그때까지만 하더라도 나는 주위 사람들에게 걸프 전쟁은 일어나지 않는다고 예언했다가 이것이 보기 좋게 빗나갔던 것이다.

본래 사담 후세인이 쿠웨이트를 집어삼키게 되었던 것은 무기상들의 유혹 때문이었다고 나중에 밝혀졌다. 무기상들은 바로 지금이 쿠웨이트를 삼킬 수 있는 좋은 기회라고 사담 후세인을 부추겼던 것이다. 무기상들이 그렇게 말한 것에는 그만한 근거가 있었다.

당시 소련의 고르바초프 대통령은 개방과 함께 밀어닥친 소련의 경제난 때문에 국내에서 밀려날 수밖에 없는 위기를 맞고 있었다. 궁지에 몰린 고르바쵸프는 부시 대통령에게 급전을 보내 3백억 달러의 원조를 부탁했다. 부시 대통령은 이 때문에 G7 정상회담을 휴스턴에 긴급 소집했고 각국 정상들은 소련을 원조해 주기로 결정했다.

그러나 막상 돈을 낸 나라들은 독일을 비롯한 EC 국가들뿐이었다. 소련이 말썽을 일으키면 그들이 추진하고 있는 EC 통합 작업에 문제가 생기기 때문이었다. 독일은 이때 1백30억 달러를 내고 소련이 눈감아 주는 사이에 통일을 성취했다. 그리고 다른 EC 국가들은 24억 달러를 염출해서 소련을 도왔다. 그리고는 G7 국가도 아닌 한국이 뜻밖에도 30억 달러의 차관을 제공하겠다고 나섰을 뿐 다른 나라들은 모두 침묵하고 있었다.

이때에 제일 난처해진 것은 소련 원조를 먼저 제안했던 당사자 부시 대통령이었다. 미국은 계속되는 불황과 무역적자로 빚더미에 올라앉아서 돈이 없었던 것이다. 그런 부시가 소련을 도와줄 수 있는 방법이 있다면 그것은 석유값을 올려주는 일이었다. 소련은 하루에 1천2백만 배럴을 생산하는 세계 최대의 산유국이기 때문이었다.

그러나 석유값은 부시의 마음대로 올려지는 것이 아니었다. 수요와 공급의 원칙에 따라서 결정되는 석유값은 OPEC 회의에서 조정되는 산유량의 영향을 받고 있었다. 그러므로 석유값을 올리려면 석유의 가수요가 늘어나야 하고 가수요가 늘어나려면 석유의 사재기 현상이 일어나야 하는 것이었다. 비산유국들이 석유를 사재기 하려면 페르샤 만에 위기가 발생해서 석유 수송이 우려될 만한 사태가 일어나는 경우뿐이었다.

그런데 바로 그때 사담 후세인의 쿠웨이트 침공이 있었다. 그 사건으로 페르샤 만에는 위기가 발생했고 석유값은 올라가기 시작했던 것이다. 나는 그때 이미 이라크의 쿠웨이트 침공은 사담 후세인이 무기상들의 유혹에 넘어갔기 때문이라는 것을 짐작했었고 부시는 이로 말미암아 돈 한푼 안 들이고 소련을 도와주게 되었기 때문에 페르샤 만의 전쟁은 일어나지 않으리라고 확언했던 것이다.

그러나 사담 후세인이 너무 오래 쿠웨이트를 붙잡고 있었던 것이 바로 화근이었다. 미국은 그때만 해도 소련에게 그 원조요청 금액 이상으로 돈을 벌게 해 줄 필요가 없었기 때문이었다. 소련으로 지나치게 돈이 들어가는 것을 막으려면 석유값을 다시 내려야 했다. 그리고 석유값이 다시 내리려면 후세인이 쿠웨이트에서 철수해야 했던 것이다. 그러나 후세인은 좀처럼 물러서려 하지 않았다.

그래서 페르샤 만의 긴장을 신속하게 해소하고 석유값을 내리기 위해 부시의 개전 명령이 떨어졌던 것이다. 이것은 또한 미국이 재래식 무기를 효과적으로 처분하기 위한 좋은 기회이기도 했다. 미국은 페르샤 만의 위기를 해소한다는 명목으로 이로 인하여 이득을 보게 되는 비산유국들에게 전쟁비용을 받아가면서 개전 첫날에 무려 1만 8천 톤의 폭탄을 어둠 속에다 대고 퍼부었다.

이 전쟁 중에 뉴스 전문 방송 CNN은 전세계의 TV 화면에 생생한 전쟁실황을 송출했다. 전세계의 시청자들은 마치 안방에서 요한계시록을 영화로 보고 있는 것 같았다. 그러나 전쟁이 끝난 후에 보니 화면에 나온 바그다드 시내는 그대로 멀쩡하게 남아있었다. TV 화면을 통해 걸프 전쟁을 지켜본 전세계 시청자들은 모두 그 많은 폭탄을 다 어디에 퍼부었는지 궁금할 수밖에 없었다.

부시가 설마 공격을 하겠는가 하며 안심하고 있던 사담 후세인이 쿠웨이트에서 철군하겠다고 발표를 했던 2월 15일은 한국의 설날이었다. 내 형제들과 가족들은 늘 하는 대로 다 우리 집에 모여서 예배를 드리고 91세가 되신 이모님과 78세가 되신 어머님께 세배를 드렸다. 내 부모님의 결혼을 중매해 주시고 늘 우리 가정을 위하여 기도해 주셨던 이모님 유업진(劉業珍) 전도사는 가족들이 모일 때마다 우리 집안의 중심이요 지도자이셨다.

그 이모님이 그날은 어쩐 일인지 속이 불편하시다면서 음식을 들지 못하셨다. 좋아하시는 만두 한 개를 잡수시고는 그냥 앉아계시다가 저녁이 되어 안식관으로 돌아가셨는데 바로 그 다음날 전화가 걸려왔다. 몸이 아프니 좀 와달라는 부탁의 말씀이었다. 어지간해서는 조카를 부르지 않는 분인데 이상해서 달려가 보니 하혈이 있었고 배의 통증이 매우 심해졌다는 것이었다.

병원에를 모시고 가서 진찰을 받아보니 장출혈이라고 하며 의사는 이모님을 종합병원으로 모시고 가라고 권했다. 나는 즉시 이모님을 서울대 병원으로 모셨다. 서울대 병원에서 검사한 결과는 대장암이었고 암은 이미 소장과 간 그리고 췌장에까지 전이되어 있었다. 이미 대세는 기울어져 있었으나 일단 격심한 통증을 해결하기 위해서 수술을 받는 수밖에 없었다.

그러는 동안 이모님은 그저 의사의 말에 순종하는 태도였다. 오히려 이모님은 애쓰고 있는 조카들을 안쓰러워 하시는 눈치였다. 한평생을 오직 하나님 일에만 헌신해 오신 이모님의 그런 꿋꿋하신 모습에 나는 눈물도 보이기가 어려울 지경이었다. 그러나 수술을 받고 퇴원한 이모님을 안식관에 모셔다 놓고 나는 또 해외 출장을 나가야 했다. 해외의 새로운 항공기 회사들을 찾아보고 하청사업을 뚫어보기 위해서였다.

"내 걱정 말고 잘 다녀오너라."

결국 그 말씀이 마지막 말씀이 되었다. 영국을 거쳐 브라질로 갔다가 다시 일본에 도착했을 때 아내로부터 전화가 걸려왔다. 이모님께서 돌아가셨다는 것이었다. 직계가족도 아닌데 회사 일을 중단하고 귀국할 수는 없으니 일을 끝내고 오라는 것이 아내의 권고였다. 나는 아내에게 모든 일을 부탁하고 장례에 필요한 비용이 있으면 아낌 없이 쓰라고 당부했다.

나를 어렸을 때 데려다가 길러주셨고 나를 위해서 늘 기도해 주셨고 내가 세상 길에서 다시 하나님의 품으로 돌아왔을 때 누구보다도 가장 기뻐하셨던 그 이모님인데 장례식에도 못가고 호텔 방에서 혼자 울면서 영결예배를 드렸다. 갑자기 두려운 생각이 들기 시작했다. 지금까지 나를 위해서 기도해 주신 분이 이제 안 계신다고 생각하니 외로운 생각이 들었던 것이다. 그 분의 믿음을 이어받도록 해 달라고 기도하는 수밖에 없었다.

이모님은 전도사 시절부터 은퇴하여 안식관에 계실 때까지 한평생을 단칸방에서 살아오신 분이었다. 그러면서도 이모님은 교회에서 주는 그 얼마 안되는 사례비마저 심방갔던 가난한 집에 놓고 나오는 분이었다. 그야말로 일생 동안 아무 것도 가지지 않고 손에 들어오는 것마저 다 버린 채로 오직 믿음 하나를 손에 잡고 세상을 떠나신 분이었다.

그런 이모님의 의연하신 모습은 내가 귀국하여 가족들의 이야기를 들으면서 더욱 선명하게 내 가슴 속에 아로새겨졌다. 귀국하자마자 이모님의 무덤으로 달려간 나는 기도를 끝내고 나서 아내에게 물었다.

"장례식은 잘 치렀소?"

"얼마나 깔끔하신 분인지 우리가 할 일이 아무 것도 없었어요."

"할 일이 없었다구?"

"이 기독교 묘지도 이미 사두셨고 장례식 비용도 모두 다 준비해 두셨더군요."

이모님은 은혜를 입은 조카들이 많기 때문에 장례비용쯤이야 얼마든지 쓸 수 있었는데 조카들에게 폐를 끼치지 않으려고 그 모든 것을 미리 다 준비해 두셨던 것이다.

"그뿐만이 아니에요. 이모님은 장례식 때 읽을 성경구절과 찬송까지 지정해 놓으시고 장례식 때 들려줄 말씀까지 육성으로 녹음해 놓으셨지요."

나는 이모님 영결예배 때의 순서지를 들여다보았다. '유업진 전도사 영결예배'라고 적혀진 표지에는 밝게 웃으며 손을 흔들어 작별인사를 하는 이모님의 사진이 인쇄되어 있었고 집례하신 분은 이모님께서 마지막으로 봉사하시던 석천교회의 주성호 목사님이었다. 이모님께서 불러달라고 하신 찬송가는 543장의 '저 높은 곳을 향하여'였고, 읽어달라고 하신 요한복음 14장의 말씀은 장례식에 참석했던 분들이 모두 함께 교독을 했다고 한다.

너희는 마음에 근심하지 말라
하나님을 믿으니 또 나를 믿으라
내 아버지 집에 거할 곳이 많도다
그렇지 않으면 너희에게 일렀으리라
내가 너희를 위하여
처소를 예비하러 가노니
가서 너희를 위하여 처소를 예비하면
내가 다시 와서
너희를 내게로 영접하여
나 있는 곳에 너희도 있게 하리라

주성호 목사님의 설교 말씀이 끝나고 나서 이모님의 육성을 듣는 순서가 있었다. 장례식에 참석한 모든 사람들은 환하게 웃는 모습으로 손을 흔들어 인사하는 유업진 전도사의 사진을 바라보며 녹음 테이프를 통해서 나오는 이모님의 인사 말씀을 들었다.

"바쁘신데도 불구하시고 부족한 저의 장례식에 이렇게 와주셔서 대단히 감사합니다. 제가 간 후에도 부디 안식관의 외로운 딸들을 잘 보살펴 주시기 바랍니다. 많은 일을 해 놓지도 못하고 좋은 곳으로 먼저 가게 되어 죄송하군요. 저는 이제 평안히 하나님 품 속으로 들어갑니다. 하나님 앞에서 다시 만나뵙게 될 때까지 여러분, 안녕히 계십시오."

가족들이 더욱 놀란 것은 안식관장의 인사 말씀을 들었을 때였다. 이모님은 그 알뜰한 생활 중에도 안식관을 위하여 1백만 원 그리고 여전도회관을 위하여 1백만 원을 헌금하도록 남기셨다는 것이었다. 그뿐만이 아니었다. 교역자가 돌아가시면 1주기 때에는 그 시무하시던 교회에서 추도예배를 드리고 그 예배에 참석한 유가족들이 전교인에게 교회식당에서 점심을 내는 것이 관례인데 이모님께서는 그 1년 후에 쓸 추도예배 때의 점심 비용까지를 별도로 준비해 놓고 떠나셨던 것이다.

내가 기억하고 있는 이모님의 교회에서의 모습은 늘 빳빳하게 풀 먹인 저고리와 치마를 입고 예배당의 문간에 서 계시는 모습이었다. 우리나라의 교회에서 예배시간에 여자 전도사에게 배정된 위치는 늘 그렇게 문간이었던 것이다. 일생 동안 교회의 문간을 지키고 구십 평생을 단칸방에서 살면서 가진 것을 모두 다 가난한 사람들에게 내어주고 오직 믿음 하나만을 꼭 붙잡고 떠나가신 이모님의 모습을 기억하며 나는 저 광야의 히브리 백성들을 생각하고 있었다.

흔히 히브리 백성이 홍해를 건너서 가나안에 들어갈 때까지의 광야생활을 성도들의 신앙생활에 비유한다. 물 속을 지나서 홍해를 건넌 것은 즉 세례를 의미하고 요단 강을 건너 가나안 땅으로 들어가는 것이 곧 천국으로 들어가는 것을 상징한다면 히브리 백성들의 40년 광야생활은 천국에 들어가기 위해서 훈련을 받는 우리 신앙생활의 과정을 보여주는 것이라고 할 수 있었다.

그런데 애굽에서 나온 히브리 백성들 중 시내산에서 계수했을 때에는 모두 6십만 3천5백50명이었던 20세 이상의 장정들이 40년 간 광야를 지나면서 오직 여호수아와 갈렙만 남고 모두 죽어서 광야에 묻히었다. 가데스 바네아에서 하나님을 원망했던 일 때문에 오직 '믿음의 보고'를 했던 여호수아와 갈렙만을 제외하고 6십만 3천5백48명이 가나안 땅에 들어가지도 못한 채 다 광야에 묻혔던 것이다. 그래서 나중에 가나안 땅으로 들어간 것은 모두 그 후에 자라난 새로운 세대의 백성들이었다.

그것은 곧 성도들의 신앙생활이 세상에서 가지고 나온 자기를 하나 하나 광야에 버리고 묻어가는 생활임을 말해 주는 것이었다. 그래서 예수께서는 니고데모에게 "사람이 거듭나지 아니하면 하나님 나라를 볼 수 없느니라"고 말씀하셨고 어른 된 자기를 버리고 "어린아이들과 같이 되지 아니하면 결단코 천국에 들어가지 못하리라"고 말씀하셨던 것이다.

천국을 향하여 행진하는 성도들의 신앙생활이란 곧 '버리는 연습'이라고 할 수 있었다. 나는 이모님의 그 빛나는 생애를 바라보면서 버리는 생활의 아름다움을 실감하고 있었다. 오직 단칸방에서 일생을 보냈던 이모님이 은퇴하신 후 안식관에서 지내실 때 세 끼를 꼬박 더운 밥을 먹여준다고 그렇게도 황송해 하던 그 모습을 생각하면서 나는 다시 한번 그 무덤 앞에서 무릎을 꿇을 수밖에 없었다.

(이모님은 비록 여자였지만…… 당신은 가나안에 들어간 여호수아와 갈렙 장군처럼 위대한 믿음의 종이었습니다!)

매일 백 리가 넘는 산골길을 걸어다니며 심방하던 시절로부터 시작하여 6·25전쟁의 부상자들을 돌보던 육군병원 그리고 전쟁 후의 가난했던 시절 그 배고픈 사람들을 찾아다니며 위로하던 고달픈 사역을 이제는 승리로 마감하시고 어린아이처럼 기뻐하며 가나안에 입성하신 그 이모님의 모습은 나로 하여금 광야를 행군하던 히브리 백성들의 장엄한 대열을 생각하게 했다.

바위 틈에 갇혀버린 91년의 암울한 나날을 보내면서 나는 줄곧 그 히브리 사람들을 따라 사나운 모래바람이 몰아치는 바란의 광야를 헤매고 있었다. 그리고 마침내 그 히브리 백성들의 행군이 40년을 지나 다시 가데스 바네아에 이르렀을 때 나는 물이 없어서 절규하는 히브리 백성들의 함성 속에 휩싸이면서 또 하나의 작품이 풀무불 속에서 튀어나올 것만 같은 강렬한 예감에 사로잡히고 있었다.

건너가게 하소서

영국과 브라질 그리고 일본의 항공기 회사들을 돌아보며 탐색해 본 하청사업의 수주 가능성은 별로 낙관적이 못되었다. 나는 출장에서 돌아와 이모님의 산소를 찾아보고 나서 출장시에 방문했던 회사들과 유대관계를 지속하기 위하여 인사편지를 냈다. 그리고 특히 일본의 회사들 하고는 상호방문을 하고 시제품을 만들어 보내 평가를 받는 등 교류를 추진했다.

그러면서 내가 본격적으로 개입하여 추진하기 시작한 프로젝트가 바로 '인공위성 사업'이었다. 어차피 군용기 사업의 굵직한 것들은 모두 경쟁 회사로 넘어갔고 민수용 항공기 부품의 수출마저 경기침체로 전망이 없어서 젊은 기술진의 사기가 저하되어 있던 때였다. 그런 상황에서 기술적으로 한 걸음 앞선 우주사업에 먼저 뛰어든다면 기술진에게도 의욕을 갖게 하고 장차 항공기보다도 더 큰 시장이 형성되리라고 전망되는 이 새로운 분야에서 선두주자가 될 수 있는 것이었다.

마침 한국 체신부와 '한국통신'에서는 통신위성 2기를 제작 발사하여 자체위성을 보유하려는 계획을 가지고 있었다. 영어로는 'KOREASAT' 한국어 사업명은 소위 '무궁화 위성' 사업이었다. 국내에 전문 업체가 없으므로 물론 주계약자는 외국회사가 되겠지만 체신부는 한국측 기업이 파트너로 참여하여 기술을 전수 받게 하고 다음번 발사 때에는 한국 업체를 주계약자로 하겠다는 야심적인 계획을 내놓고 있었다.

이 사업의 한국측 업체로는 네 회사가 경쟁을 하고 있었다. 이들은 모두 해외의 유명한 업체를 파트너로 잡아야 했는데 어느 업체를 잡느냐가 성패의 관건이었다. 다른 세 회사가 모두 미국의 업체를 파트너로 잡았는데 내가 일하던 회사는 영국의 기업 '브리티시 에어로스페이스' 사의 우주사업부를 잡았다. 물론 이것은 체신부와 한국통신의 고위층 그리고 관련되어 있는 연구기관의 입장을 신중하게 분석한 결과에 따른 결정이었다.

당시에는 정부와 실수요자 그리고 연구기관의 기술진까지도 사실상 이 새로운 분야에 대하여 자신 있게 내세울 만한 경험은 가지고 있지 않았다. 물론 그 중에는 미국과 유럽 등지에서 활동하다가 스카웃되어 귀국한 두뇌들도 있었지만 그들의 경험도 거대한 시스템의 극히 일부였을 뿐 설계와 제작 그리고 발사와 운용에 이르기까지 전체적인 시스템을 이해하고 관리할 만한 기술적인 경험의 축적은 전혀 없었던 것이다.

그래서 한국의 정부측이나 실수요자나 연구기관을 막론하고 한결같은 소망은 이 '무궁화 사업'을 통해서 위성사업의 전모를 파악할 수 있는 기술을 습득해야 한다는 것이었다. 그러기 위해서는 미국의 기업은 우선 불리했다. 거의 모든 산업 분야에서 점점 주도권을 상실해 가고 있는 미국은 기술의 유출을 방지하기 위해서라면 거의 필사적이었다. 미국은 이미 경공업은 물론이고 거의 모든 중공업 분야까지 일본과 유럽에 선두를 빼앗긴 상태여서 겨우 지키고 있는 것이라고는 전자, 항공, 우주 사업 정도였다. 게다가 이제는 전자부문까지 이미 일본에 추월당하기 시작하고 있었다.

그래서 미국은 아예 정부가 나서서 기업들이 해외에 기술을 함부로 이전하지 못하도록 통제하고 있었다. 설사 기업이 해외시장 진출을 위해서 기술제휴 계약을 맺는다고 하더라도 경우에 따라서는 정부의 통제 때문에 그 계약을 수정하거나 포기해야 하는 경우가 허다했던 것이다. 그런 미국의 기업과 위성사업의 계약을 한다는 것은 거의 기술의 습득을 포기하는 것이나 마찬가지였다. 그러나 미국과는 반대로 유럽의 첨단기술업체들은 오히려 적극적으로 기술을 이전해 주겠다고 나왔다. 미국 기업들이 거의 독점하고 있는 우주사업의 시장을 공략하기 위하여 유럽의 업체들은 거의 제한 없는 기술제공을 약속하고 있었다.

그래서 우리는 영국의 회사를 파트너로 하는 한편 통신장비 분야에서는 미국의 유명한 'TRW' 회사를 끌어들였다. 혹시라도 미국 정부로부터 정치적인 압력이 있을 것을 고려해서 미국 업체를 참여시켰던 것이다. 이러한 우리의 포석은 정부와 실수요자와 연구기관에 있는 고위층들로부터 매우 긍정적인 반응을 받았다. 사실 그들은 거의 모두가 우리 팀이 승리할 것을 기대하고 있었던 것이다.

그룹 내에서는 통신, 전자, 중공업, 무역 등 각 회사에서 인원을 선발하여 위성사업 추진실이 발족되었고 내가 그 팀장으로 지명되었다. 그야말로 나는 기업의 비전이 걸려있는 이 사업을 도맡아서 추진해야 하는 총책임자가 된 것이었다. 이 팀의 업무가 시작되었을 때 사장은 나를 불러서 특별히 당부했다.

"이 사업에 대한 모든 책임은 전적으로 김 이사에게 있습니다. 무슨 수를 써서든지 꼭 성공시켜야 합니다."

"알겠습니다."

나 자신도 이 임무가 과거에 했던 어떤 일들과도 다르다는 것을 알고 있었다. 건설장비의 수출을 성공적으로 해 내지 못했던 것은 공장의 생산능력 부족과 경기의 하락 등 여러가지 불가피했던 요인들을 핑계로 들 수도 있었다. 그러나 이번 사업이야말로 아무에게도 책임을 떠넘길 수 없는 것이었고 나 혼자서 책임져야 하는 일이었던 것이다.

나는 사실 이번 프로젝트에 대해서는 어느 정도 자신이 있었다. 우선 관련 기관의 거의 모든 고위층과 실무진들이 우리 팀의 승리를 은근히 바라고 있는데다가 가격면으로 보더라도 턱없이 비싼 미국 쪽의 원가는 영국 기업의 상대가 될 수 없었다. 게다가 영국은 지금 미국의 시장을 잠식하려는 도전자의 입장이어서 가격에 있어서는 전혀 신경 쓸 일이 없을 정도였다. 그러나 나는 우선 이 일에 대해서 하나님께 보고를 드리고 도와주시기를 간청했다.

"하나님…… 제가 무궁화 위성사업의 책임자가 되었습니다. 사장이 특별히 강조했듯이 이 과제는 완전히 저의 책임으로 되어 있습니다. 이게 만일 실패한다면 저는 말할 것도 없고 하나님께서도 같이 망신을 당하십니다. 이것만은 주님께서 꼭 성공시켜 주셔야 합니다."

그러나 이 시기에 나는 하나님의 격려는 커녕 또 한번 호된 꾸중을 듣게 되었다. 그것은 참으로 기록하기에도 부끄러운 일이었다. 누구나 겪는 일이지만 해외 출장이 잦아지면 비행기를 탈 때마다 속이 거북해지게 된다. 이 지역 저 지역을 날아다니다 보면 시차 때문에 머리가 띵한데다가 또 십여 시간씩 같은 자리에 앉아서 승무원이 날라다 주는 느끼한 음식들을 받아먹다 보면 속이 불편할 수밖에 없는 것이다.

그럴 때 우선 시원한 냉수라도 좀 마셨으면 좋겠는데 기내에서의 식사 시간에는 승무원들이 물보다 포도주를 먼저 돌린다. 예쁜 모습의 스튜어디스가 양손에 흰 포도주와 붉은 포도주 병을 들고 다니면서 묻는 것이다.

"화이트? 레드?"

그럴 때마다 나는 포도주 한모금 생각이 나서 침을 삼켰지만 참을 수밖에 없었다. 나는 이미 10년 전 아내가 위암 수술을 받은 후 하나님께 아내를 살려주시면 술을 절대로 마시지 않겠다고 약속했기 때문이었다. 그래서 스튜어디스가 그렇게 물을 때마다 나는 고개를 저으며 되물었다.

"캔 아이 해브 워터, 플리이즈?"

물좀 달라는 뜻이었다. 수도 없이 비행기를 타는 동안 포도주 병을 들고 다가오는 스튜어디스에게 그렇게 말하는 것이 아주 버릇이 되어 버렸다. 그러나 브라질에서 일본으로 날아오는 비행기 속에서 그날 따라 너무 속이 불편했다. 그래서 포도주 병을 들고 다가온 스튜어디스에게 나도 모르게 말했다.

"레드, 플리이즈."

그래도 양심은 있어서 스튜어디스에게 붉은 포도주를 가득히 붓지 말고 조금만 따르라고 부탁했다. 그리고 급한 김에 우선 한 모금 들이켰다. 뱃속이 화끈거리면서 금새 거북한 것이 가라앉는 듯했다. 그러면서 또 오래간만에 맛본 포도주의 향기가 그렇게 기가 막힐 수가 없었다. 나는 한 모금을 더 마셔보면서 왜 성경에 그토록 포도주에 관한 이야기가 많이 나오는지 이해할 수가 있을 것 같았다. 지난날 세상 길로 다니며 독주를 마실 때에는 몰랐는데 포도주야말로 정말 술 중의 왕인 것 같았다.

그날은 그렇게 두 모금으로 끝났지만 나는 그 후에도 자주 양식을 먹으면서 속이 좀 불편한 듯하거나 외국의 귀빈들과 포도주로 축배를 들 때면 한 모금씩 포도주를 맛보며 그 향기에 감탄하곤 했다. 하나님과의 약속이 께름직하기는 했지만 성만찬에서도 한 잔 정도의 포도주는 쓰는 것이고 바울도 디모데에게 속이 거북할 때에는 포도주를 조금씩 마시라고 했으니 어떠랴 싶었던 것이다.

이제부터는 물만 마시지 말고 네 비위와 자주 나는 병을 위하여 포도주를 조금씩 쓰라(딤전 5 : 23)

바로 그러고 있는 91년의 5월 22일에 또 나를 놀라게 한 사건이 일어났다. 재수를 하느라고 학원에 다녀오면 늘 방 안에 틀어박혀서 공부만 하고 있던 큰딸이 갑자기 눈앞이 흐려지며 글씨가 잘 안 보인다고 호소를 했던 것이다. 왜 그럴까 걱정하면서 출근을 했는데 딸을 데리고 안과에 갔던 아내에게서 회사로 전화가 왔다.

"여보, 의사 선생님이 재수를 단념하래요."

아내의 목소리가 몹시 떨리고 있었다.

"뭐라구?"

"하루에 아홉 시간 이상 자야 하고 특히 글씨를 보는 것은 금물이래요. 그렇게 안하면 실명할 수도 있대요."

"도대체 무슨 병이래?"

"포도막염이래요."

"뭐라구!"

나는 정말 기절을 할 만큼 놀랐다. 그렇지 않아도 그 포도주 관계 때문에 좀 마음이 께름직했는데 아내가 '포도막염'이라고 하니까 도둑이 제 발이 저리다는 식으로 깜짝 놀랐던 것이다. 포도막염이란 흰 자위가 붉어지며 눈물이 나오는 홍채염이

눈의 안쪽에 있는 맥락막까지 파급되어 시력이 저하되는 것인데 상태가 심해지면 실명이 되는 수도 있다는 것이었다.

그 이름이 왜 포도막염인지는 모르나 어쨌든 나는 그 이름에서 충격을 받지 않을 수 없었다. 견딜 수 없는 후회가 덮쳐왔다. 지금까지 하나님께서는 한번도 나와의 약속을 어기신 적이 없는데 나는 어느새 그것을 잊고 슬금슬금 그 약속에서 벗어나고 있었던 것이다. 나는 정말 부끄러웠다. 수화기를 떨어뜨리듯 내려놓고 책상에 엎드리며 입속으로 부르짖었다.

"용서하여 주옵소서…… 그리고 염치없이 주님께 또 간구하오니 딸의 눈을 고쳐주옵소서…… 다시는 포도주를 입에 대지 않겠나이다!"

포도주를 입에 대지 않겠다고 결심했던 레갑 자손들의 이야기가 생각나고 있었다. 예후를 도와서 아합의 잔당들과 바알을 섬기는 자들을 섬멸했던 요나답은 그 후예들에게 포도주를 먹지 말고 장막에 거하라고 명했는데 그의 후예들은 이 명령을 잘 지키고 있었다. 그런데 하루는 하나님께서 예레미야에게 그들을 성전으로 불러다가 포도주를 한 사발씩 주어 마시게 하라고 명령하셨다.

예레미야가 그들을 불러 포도주를 부어주고 하나님의 명령을 전하였으나 그들은 그렇다 하더라도 마시지 못하겠노라고 버티었다. 그리고 끝내 예레미야가 부어준 포도주를 마시지 않았다. 어떻게 보면 하나님의 명령을 거역한 일인데도 하나님께서는 선조와의 약속을 지키려고 애쓰는 레갑 자손들을 오히려 칭찬하셨던 것이다.

너희가 너희 선조 요나답의 명령을 준종하여 그 모든 훈계를 지키며 그가 너희에게 명한 것을 행하였도다 그러므로 나 만군의 여호와 이스라엘의 하나님이 이같이 말하노라 레갑의 아들 요나답에게서 내 앞에 설 사람이 영영히 끊어지지 아니하리라(렘 35 : 18~19)

레갑 자손의 일을 생각하니 더 부끄러운 생각이 들었다. 그들은 하나님께서 마시라고 명령을 하셨는데도 안 마셨는데 나는 스스로 홀짝 홀짝 들이키고 있었던 것이다. 하나님의 두려운 음성이 들리고 있는 것 같았다.

"네가 그렇다면…… 나도 너와의 약속을 한번 어겨보랴?"

그것은 정말로 큰 일이었다. 나는 당황하여 벌떡 일어나 두 손을 공중에 휘저으며 부르짖었다.

"아닙니다! 제발 한번만…… 한번만 용서해 주십시오!"

그렇게 해 놓고도 나는 안심이 되지 않았다. 그날은 마침 수요일이었다. 늘 퇴근 시간이 늦기 때문에 수요일의 삼일 기도회는 거의 참석을 못하고 있었는데 그날은 기도를 하기 위해서 일찌감치 회사 일을 마무리하고 교회로 향했다. 그날의 설교 본문은 욥기의 22장이었다.

네 보배를 진토에 버리고

오빌의 금을 강가의 돌에 버리라
그리하면 전능자가 네 보배가 되시며
네게 귀한 은이 되시리니
이에 네가 전능자를 기뻐하여
하나님께로 얼굴을 들 것이라
너는 그에게 기도하겠고
그는 들으실 것이며
너의 서원한 것을 네가 갚으리라……
(욥 22 : 24~27)

마치 히브리 백성이 모든 것을 광야에 묻었듯이 모든 세상 것을 포도주처럼 홀짝 홀짝 마시지 말고 아낌없이 버리라는 말씀이었다. 나는 떨리는 가슴을 누르며 말씀을 받아적었다. 그리고 다음날 새벽에는 하나님께서 다시 전날의 말씀과 연결되는 환상을 보여주셨다. 산 위에 있는 큰 무덤과 무너지는 지붕들이 보였고 내 손에는 그 분이 주신 한 주머니의 보석이 들려져 있었다. 욥기의 말씀대로 사라지고 무너질 네 보배를 진토에 버리면 전능자가 네 보배가 되시리라는 바로 그 뜻이었다.

그리고 다시 내 눈에 보인 것은 앞치마와 양동이와 빗자루였다. 그것이 무슨 뜻인지는 잘 몰랐다. 다만 그것들은 모두 청소하는데 쓰는 물건들이니 모든 마음속의 쓰레기들을 쓸어내고 깨끗이 하라는 뜻인 것도 같았고 아니면 하나님께서 곧 지구를 청소하실 마지막 때가 가까웠다는 뜻일 수도 있었다. 어쨌든 양쪽이 모두 나에게 필요한 개념이었으므로 나는 다시 하나님과의 대화가 시작된 것에 감사하며 열심히 일했다.

딸의 눈도 많이 좋아져서 입시공부를 다시 시작했고 나는 영국으로 날아가 인공위성 기술 협력계약의 마지막 마무리를 짓고 돌아왔다. 그리고 마침내 힐튼 호텔에서 5개 국의 기업이 함께 서명하는 거창한 조인식이 거행됐다. 위성체와 시스템설계를 담당한 영국 기업과 탑재장비를 맡게 된 미국 회사 그리고 자세제어 장치를 공급할 프랑스 기업과 지상관계 설비를 제작할 독일 회사에다가 한국측 파트너인 우리까지 합쳐서 그야말로 5개국 기업이 공동으로 참여하는 다국적군의 발대식이었다. 무궁화 위성사업의 입찰서류를 한국통신에 제출한 지 이틀 후에 연예인 선교회의 전계현 회장에게서 좀 만나자는 전화가 왔다.

"바쁘실텐데 미안하지만…… 점심 좀 함께 할까요?"

왕년의 미녀 스타가 점심을 사겠다니 나도 꽤 출세를 한 모양이라고 생각하며 얼른 되물었다.

"무슨 일이라도 있으십니까?"

"만나서 얘기해요."

"알겠습니다. 어디로 갈까요?"

"오시기 편하게 힐튼으로 해요."

"그러지요."

나는 몇달 전 국민일보사의 부탁으로 주간지 〈시사토픽〉에 연재되던 '전계현이 만난 사람'이라는 기획물에 〈땅끝의 시계탑〉의 작가로 초대되어 인터뷰를 한 적이 있었다. 전 회장과의 인터뷰가 특히 나를 즐겁게 했던 것은 처녀 시절의 전 회장이 명동의 '갈채' '청동' 등 문인들이 많이 모이던 다방에 자주 드나들던 문학소녀였기 때문이었다.

그 당시의 나는 까까 머리에 빵떡 모자를 뒤집어 쓰고 다니던 문학 지망의 고등학생이었고 전계현은 엄청난 대가들의 귀염을 받던 문학소녀인데다가 TV에까지 출연을 하고 있던 스타였기 때문에 감히 접근해 볼 생각도 못했던 존재였다. 그런데 이제 내가 그녀의 인터뷰 대상이 되었다고 생각하니 기분이 좋지 않을 수가 없었던 것이다.

인터뷰를 하면서도 우리는 지난날의 명동 시절을 회상하며 즐거운 대화를 나누었고 그 후 전 회장은 다시 나를 연예인 선교회의 예배 시간에 두 번이나 강사로 초대하였다. 또 연예인 선교회에 속해 있던 탤런트 문회원 집사는 TV 연기자 신우회 멤버들에게 내 이야기를 하여 그쪽에도 역시 두번 강사로 초청되었다. 거기서 나는 화면에서만 보았던 임동진 장로, 한인수 집사, 정영숙 집사 등 쟁쟁한 스타들과 만나게 되었던 것이다.

뜻밖에도 이렇게 쟁쟁한 연예인들과 만나게 되었던 것은 하나님께서 미리 준비하고 계시는 일이 있는 것 같았다. 전계현 회장의 전화를 받고 힐튼 호텔로 나가보니 연예인 선교회의 담임인 윤용섭 목사와 연출가 문고헌 집사가 함께 나와있었다. 내가 차를 운전할 때면 늘 듣는 것이 바로 윤 목사 작곡의 복음성가였고 또 문고헌 집사는 이미 유명한 연출가였기 때문에 우리는 모처럼 즐거운 점심을 함께 했다.

"그런데…… 만나자고 하신 이유는 뭔가요?"

나는 연출가와 작곡가를 대동한 것을 보고 대충 짐작을 하면서 그렇게 물었다.

"연예인 선교회가 이제 창립 10주년이 되요. 그래서 기념될 만한 공연을 좀 하고 싶은데…… 작품 하나 써주실 수 없을까요?"

"기념 공연이라면…… 희곡 말씀입니까?"

"희곡도 좋고 뮤지컬도 좋구요."

"아시다시피…… 저는 소설만 써왔기 때문에 희곡은 자신이 없군요."

"전혀 써본 일이 없으세요?"

"고등학교 2학년 때 동아일보 신춘문예에 희곡을 응모해서 예선엔 들었는데…… 최종심사에서 당선을 놓친 경험이 있을 뿐입니다."

그러자 전 회장의 눈이 반짝 하고 빛났다.

"고등학생 때 그 정도였나니…… 그건 바로 천재적인 것 아니예요? 그럼 됐어요."

그러자 문고헌 집사도 또 옆에서 거들었다.

"혹시 연출상 문제가 있으면 나중에 손질을 해도 되니까요. 연예인 선교회가 공연할 것이니까…… 작품의 기법이라든가 예술성보다는 복음적인 내용이 더 중요하지요."

나는 이미 더 이상 사양할 구실을 찾지 못하고 있었다. 오히려 내 머리속에는 동료들을 묻어가면서 광야를 행군해 가는 히브리 백성들의 거대한 행렬이 떠오르고 있었다. 그리고 40년 간이나 오직 하나님의 명령에 복종하며 살아온 모세가 하나님으로부터 버림받고 울부짖는 모습이 클로즈 업 되어 나타났다. 나는 그 동안 건강문제와 직장에서의 고전 때문에 이 모세의 절규에 공감을 하고 있었던 것이다.

(모세 같은 사람이 가나안 땅에 들어가지 못했다면…… 이 지구상에서 하나님의 최종시험에 합격하여 요단 강을 건너갈 만한 사람이 도대체 몇명이나 있을 것인가!)

어느새 나는 이 모세의 항의를 작품으로 쓰리라 마음 먹고 있었다. 무대 가득히 두 팔을 벌리며 하나님께 따지고 대드는 모세의 모습이 보이고 있는 것 같았다. 이미 내가 생전 처음 써보는 장막 희곡 '건너가게 하소서'는 그렇게 시작되고 있었던 것이다.

'가데스 바네아'에서 정탐자들의 겁먹은 보고 때문에 하나님을 원망했던 히브리 백성들은 가나안 땅을 눈 앞에 두고 발길을 돌이켜야 했다. 그들은 40년 간 온갖 고생을 다하면서 그들의 1세대를 거의 다 광야에 묻고 나서야 다시 40년 전의 그 가데스 바네아에 도착했던 것이다. 그러나 가데스 바네아에서는 또 심한 가뭄과 물의 부족으로 인한 고통이 그들을 기다리고 있었다. 백성들은 다시 하나님과 모세를 원망하기 시작했으나 하나님께서는 모세에게 그들을 구하라고 명하셨다.

지팡이를 가지고 네 형 아론과 함께 회중을 모으고 그들의 목전에서 너희는 반석에게 명하여 물을 내게 하라(민 20 : 8)

모세는 이때 매우 지치고 짜증나 있는 상태였다. 그러나 그는 일어서서 지팡이로 반석을 두 번 내려쳤다. 그러자 물이 솟아나와 회중과 모든 짐승이 물을 마시고 힘을 얻게 되었던 것이다. 그러나 이 일 후에 하나님께서는 모세와 아론에게 청천벽력의 명령을 내리셨던 것이다.

너희가 나를 믿지 아니하고 이스라엘 자손의 목전에 나의 거룩함을 나타내지 아니한고로 너희는 이 총회를 내가 그들에게 준 땅으로 인도하여 들이지 못하리라(민 20 : 12)

40년 간 하나님과 모세의 관계는 그야말로 '명령과 복종'의 관계였다. 모세는 하나님이 가라면 가고 서라면 서고 머무르라면 머물렀다. 그런데 무슨 잘못이 있는지는 모르지만 40년 간이나 그렇게 부리신 모세를 하나님은 버리시겠다고 하셨던 것이다. 모세가 이 조치를 당하고 얼마나 억울했을 것인지는 짐작이 되고도 남음이 있었다. 지독하고 과격한 성격의 모세가 이런 하나님의 조치를 과연 순순히 그대로 받아들일 수 있었을까? 성경에는 모세가 하나님께 애원하는 대목이 매우 간결하게 소개되고 있다.

> 구하옵나니 나로 건너가게 하사 요단 저편에 있는 아름다운 땅, 아름다운 산과 레바논을 보게 하옵소서(신 3 : 25)
> 그만해도 족하니 이 일로 다시 내게 말하지 말라 너는 비스가 산꼭대기에 올라가서 눈을 들어 동서남북을 바라고 네 눈으로 그 땅을 보라 네가 이 요단을 건너지 못할 것임이니라 너는 여호수아에게 명하고 그를 담대케 하며 그를 강경케 하라 그는 이 백성을 거느리고 건너가서 네가 볼 땅을 그들로 기업으로 얻게 하리라(신 3 : 26~28)

모세는 자신이 요단 강을 건너게 해 달라며 하나님께 탄원하고 하나님이 냉정하게 더 이상 말하지 말라고 잘라서 말씀하시는 과정을 이렇게 간단히 기록했다. 그러나 내가 보기에 모세의 성격으로 보아 과연 그 정도로 끝났을 것 같지는 않았다. 연극 '건너가게 하소서'에서 모세는 하나님께서 그로 하여금 가나안에 들어가지 못하게 하시는 이유를 따지다가 이렇게 항의하고 있다.

"지난 40년 간 언제 이 모세의 생각대로 한 일이 있었습니까? 그 동안 모세가 모세의 인생을 살아온 것이 있었습니까? 지난 40년 간 온통 세상에 모세는 없고 오직 당신만이 있었습니다! 모세는 뭡니까? 모세가 이 땅에 태어난 의미는 도대체 무엇입니까? 모세는 오직 당신만을 위해서 살아왔는데 이제 와서 제가 이렇게 늙어빠졌다고 저 요단 강을 건너기도 전에 당신의 발길로 저를 걷어차서 쓰레기통에 처박으려는 것입니까? 말씀하십시오!"

모세의 이 항의는 바로 나의 항의이기도 했다. 나는 흥분한 모세의 등 뒤에 숨어 서서 그를 부추기며 마구 그렇게 울분을 터뜨리도록 했다. 그것은 바로 나의 항의였고 나의 절규였던 것이다. 나 역시 힘든 직장생활을 하면서도 틈을 내어 소설을 쓰고 하나님의 말씀을 전하고 하나님의 일을 열심히 해 보려고 나름대로 애써 왔었다. 그야말로 내 딴에는 마음과 성품과 힘을 다하여 하나님의 일을 하노라고 해 온 것이었다.

그런데 풀기 어려운 문제 하나를 못 풀었다고 해서 혈압을 올려놓으시더니 계속해서 어려운 문제에 부딪히게 하시는 하나님의 조치 앞에서 나는 사실 좀 야속한 생각이 들고 있었던 것이다. 그래도 많은 사람들이 내 소설을 읽고서 예수를 영접했다는 소식을 나는 듣고 있었다. 또 나는 수많은 교회와 모임에 다니며 간증과 설교를 했으며 헤브론 기도회에서는 성경공부를 지도하는 입장이었다. 거기까지 생각하다가 나는 예수님의 말씀이 생각나서 또 마음이 떨렸다.

그날에 많은 사람이 나더러 이르되 주여 주여 우리가 주의 이름으로 선지자 노릇하며 주의 이름으로 귀신을 쫓아내며 주의 이름으로 많은 권능을 행치 아니하였나이까 하리니 그때에 내가 저희에게 밝히 말하되 내가 너희를 도

무지 알지 못하니 불법을 행하는 자들아 내게서 떠나가라 하리라(마 7 : 22~23)

예수께서는 그 분께 '주여 주여' 하는 자마다 천국에 다 들어갈 것이 아니고 '아버지의 뜻' 대로 행하는 자가 들어간다고 하셨다. 그러나 그 '아버지의 뜻' 은 도대체 무엇이란 말인가? 결국 또 나는 하나님께서 출제하셨던 그 어려운 문제와 만나게 되었던 것이다.

그 '아버지의 뜻' 을 잘 몰라서 때로 실수를 범하고 그 때문에 꾸중을 듣는 것까지는 얼마든지 좋았다. 그러나 그것 때문에 모세처럼 버림을 받는다면 그것은 정말 무서운 일이 아닐 수 없었다. 그런데 사실은 나뿐 아니라 신앙의 대선배인 사도 바울 같은 이도 나와 똑같은 두려운 생각에 떨고 있었던 것이다.

내가 내 몸을 쳐 복종하게 함은 내가 남에게 전파한 후에 자기가 도리어 버림이 될까 두려워함이로라(고전 9 : 27)

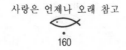

그러니 모세가 뭔가 잘못해서 하나님께 버림을 받았다면 그것은 너무나 충격적인 일이 아닐 수 없었다. 신구약 1,189장 중에서 10%가 넘는 137장을 차지하고 있는 모세가 아닌가? 그 모세가 버림을 받는다면 도대체 누가 하나님의 마음에 들 수 있다는 말인가? 요한1서의 4장 8절에 '하나님은 사랑' 이시라고 기록되어 있는데 어째서 하나님과 모세와의 사이에는 명령과

복종 또는 징계와 사죄 같은 그런 삭막한 관계만이 존재했던 것일까?

나는 이 하나님과 모세 사이에 있었던 질문과 논쟁을 추적해 가는 동안에 뜻밖에도 그 사이에서 무섭게 불타고 있는 사랑의 드라마를 줄줄이 캐낼 수가 있었다. 나는 너무나 놀라서 입이 벌어지고 말았다. 하나님은 사랑이시라더니 그 딱딱한 것 같기만 했던 율법서 가운데 정말로 숨이 막히도록 뜨거운 사랑의 드라마가 불타오르고 있었던 것이다. 나는 한여름의 더위 속에서 땀을 뻘뻘 흘려가며 하나님과 모세 사이에 있었던 그 숯불처럼 이글거리는 사랑의 드라마를 캐고 있었다.

이모님께서 돌아가셨을 때부터 히브리 사람들의 광야 행군을 생각하고 있었던 데다가 모세의 억울함에 공감하고 있던 때여서 '건너가게 하소서'의 집필 속도는 매우 빨랐다. 나는 전계현 회장을 만났던 날로부터 시작하여 겨우 열 하루 만에 4막 7장의 초고를 다 끝내놓고 나서 사흘 간의 여름 휴가를 기도로 채우기 위하여 다시 오산리 기도원으로 들어갔다.

아내가 위암 수술을 받았던 다음해부터 나는 매년 여름의 휴가 기간 동안에 사흘의 금식을 하고 있었으므로 이번에는 열번째 금식이 되는 셈이었다. 오산리로 출발하던 날 새벽에 나는 집에서 이상한 꿈을 꾸었다. 내가 본 것은 타는 듯이 빛나는 누런 털로 덮인 큰 곰이었는데 또 큰 뱀 한 마리가 그 곰의 온몸을 칭칭 감고 있었다.

그러나 무엇인가 잔뜩 먹어서 식곤증이 오는지 곰은 자꾸만 눈을 감으면서 몸에 감겨드는 뱀을 떼어내려고 허우적거렸다. 그러나 뱀은 좋은 기회라는 듯이 곰의 가랭이와 겨드랑이 사이를 감으며 돌다가 마침내 머리를 내밀더니 곰의 코끝을 물어뜯기 시작했다. 곰은 졸음에 못 견뎌서 눈을 감은 채로 귀찮다는 듯 손을 젓고 있었다. 그런데도 곰은 좀처럼 잠에서 깨어나지를 못하고 허우적거리는 것이었다.

"이봐, 정신 차려!"

나는 그 잘생긴 곰이 뱀에게 물어뜯기고 있는 것이 안타까워서 소리를 질렀다. 그러나 곰은 너무 잠에 취해서 내가 외치는 소리도 듣지 못하는 것 같았다. 곰의 몸집은 매우 커서 졸음에서 깨어나기만 하면 뱀의 머리를 깨물어서 메어치고 그 앞발로 찢어서 토막을 낼 수 있을 것 같았다. 그러나 그만 졸음에 취해서 어처구니 없는 위기를 당하고 있었던 것이다.

나는 그 동안 새벽기도를 나가고 소설을 쓰고 하느라고 늘 잠이 부족해서 눕기만 하면 깊은 잠에 빠졌고 어지간해서는 꿈을 꾸지 않았다. 그래서 나는 늘 아내에게 내가 죽는 날이 바로 실컷 자는 날이 될 것이라고 농담을 해 왔던 것이다. 그런데 그날 새벽에 꾼 꿈은 너무나 선명하고 인상적이었다. 흑백도 아니고 천연색이었다. 도대체 그 꿈의 의미는 무엇일까 골똘히 생각하며 오산리로 가는 버스에 올랐다.

그 여름의 기도원에서는 어쩐 일인지 하나님의 표정이 매우 좋으셨다. 기도를 시작할 때부터 아름다운 환상이 시작되더니 이틀째부터는 시편의 말씀들이 넘쳐 흘렀다.

> 저가 나를 사랑한즉 내가 저를 건지리라 저가 내 이름을 안즉 내가 저를 높이리라(시 91 : 14)

그 말씀을 받으면서 나는 하나님께서 드디어 나를 풀어주시려나 보다 하며 기뻐했는데 나중에 보니 그 앞의 절에는 바로 내가 출발하기 전에 집에서 꾸었던 꿈과 관련된 구절이 있는 것을 알게 되었다.

> 네가 말하기를 여호와는 나의 피난처시라 하고 지존자로 거처를 삼았으므로 화가 네게 미치지 못하며 재앙이 네 장막에 가까이 오지 못하리니 저가 너를 위하여 그 사자(使者)들을 명하사 모든 길에 너를 지키게 하심이라 저희가 그 손으로 너를 붙들어 발이 돌에 부딪히지 않게 하리로다 네가 사자(獅子)와 독사(毒蛇)를 밟으며 젊은 사자(獅子)와 뱀을 발로 누르리로다(시 91 : 9~13)

독사를 밟으며 뱀을 발로 누른다고 했으니 곰이 잠에서 깨어나기만 하면 뱀 같은 것은 당장 떼어내서 팽개칠 수 있다는 이야기였다. 그러나 내 생각에 곰과 뱀의 싸움은 나 자신의 문제라기보다는 한국 또는 한국 교회에 대한 문제인 것 같았다. 성경에 나오는 짐승의 비유가 대개 개인 보다는 국가와 민족 또는 사탄의 세력이나 하나님의 교회 등 집단적인 상징으로 나타나기 때문이었다.

곰은 다니엘서에서 메대와 바사로 나타나기도 하고 근래에는 만화가들이 소련의 상징으로 사용하기도 하나 내가 꿈에 본 곰은 그 탐스러운 털과 친근한 모습으로 봐 아무래도 곰의 후손을 자칭하는 한국을 상징하는 것 같았다. 그렇다면 그 꿈은 아마도 지금 배가 너무 불러서 졸고 있는 한국 교회가 자신도 모르는 사이에 기어들어온 사탄의 세력에게 콧잔등을 물어뜯기고 있다는 뜻인 것 같기도 했다.

(하나님께서 나에게…… 이 졸고 있는 한국 교회를 깨우라고 하시는 뜻인가?)

나는 하나님께서 이것을 한국 교회에 주시는 경고로 알고 노트에다 그것을 정리해서 적었다.

"배부르면 졸게 되고 조는 동안에 뱀이 너를 물어뜯는다. 배부르면 안된다고 이미 신명기 8장에서 경고하였다. 배부르지 말고 절제하라…… 성령의 아홉 가지 열매 중에서 마지막 것은 절제이다. 성령시대의 마지막 날에는 절제하여 정신차려야 산다. 어서 깨어 일어나 뱀을 네 이빨로 물고 그 앞발로 그것을 잡아서 찢어라!"

그렇게 정리하면서도 아직 나는 더 들어야 할 것이 있었다. 한국 교회에 주시는 말씀은 알겠는데 내 자신의 문제에 대하여 하나님께서 주시는 응답은 무엇인가? 우선 '하나님의 뜻'을 알고 내 길을 거기에 맞추어야 하지만 나는 우선 자신의 문제가 더 급했던 것이다. 그러나 내 질문에 대하여 하나님께서는 아주 선선하게 시원한 응답을 주시는 것이었다.

“너는 참 잘하고 있다.”
“아끼는 것 없이 다 주리라.”
“모든 막힌 것을 뚫어주리라.”
“모든 잘못된 것을 바로 잡아주리라.”
“내가 어떻게 하는가 두고 보아라.”

나는 이 모든 응답을 받고 감격 속에 휴가를 끝내면서 시편 66편의 말씀으로 하나님께 찬양을 드렸다.

하나님이여 주께서 우리를 시험하시되
우리를 단련하시기를
은을 단련함같이 하셨으며
우리를 끌어 그물에 들게 하시며
어려운 짐을 우리 허리에 두셨으며
사람들로 우리 머리 위로 타고 가게 하셨나이다
우리가 물과 불을 통행하였더니
주께서 우리를 끌어내사
풍부한 곳에 들이셨나이다
내가 번제를 가지고 주의 집에 들어가서
나의 서원을 갚으리니
이는 내 입술이 발한 것이요
내 환난 때에 내 입이 말한 것이니이다
(시 66 : 10~14)

하나님의 사랑을 되찾았다는 기쁨에 충만하여 기도원에서 내려온 날 오후에 나는 기독교 방송국에 약속이 있었다. 신간 서적을 소개하는 프로그램에서 〈땅끝의 시계탑〉을 소개하기 위한 녹음 약속이 되어 있었기 때문에 나는 옷을 갈아입고 곧장 방송국으로 갔다. 녹음을 끝내고 막 나오려는데 누군가 나를 불러세웠다.

"저…… 편성국장께서 좀 뵙자는데요."

"저를요?"

편성국장은 새로 오신 분으로 바뀌어 있었다. 인사를 나눈 다음에 그는 캐쥬얼 차림의 나를 바라보며 물었다.

"바쁘신 줄 알았는데 용케 시간을 내셨군요?"

"오늘이 여름 휴가의 마지막 날이거든요."

"10월 하순 쯤에는 사정이 좀 어떠십니까?"

"네……?"

나는 그의 말을 들으며 또 긴장하기 시작했다. 10월 하순에 뭔가 계획이 있는 모양이었다.

"10월 하순에 우리 새롭게 하소서 팀이 미국과 카나다 쪽으로 선교 여행을 나가는데 그쪽에서 모두들 김 권사님을 데려오라고 하는군요."

나는 뒤통수를 한번 얻어맞은 것 같았다. 새로 온 편성국장은 바로 3년 전에 있었던 기독교 방송의 프로포즈를 똑같이 하고 있는 것이었다. 이것이야말로 하나님께서 3년 전의 내 불순종을 만회할 수 있게 해 주시고 나를 3년 만에 풀어주시기 위해서 준비해 놓으신 기회라고 할 수밖에 없었다. 나는 얼른 대답했다.

"네, 가겠습니다. 그렇지 않아도 3년 전에 가자는 것을 못 가서 늘 께름직했는데 잘됐군요. 가겠습니다."

나는 방송국을 나오면서 하늘을 바라보았다. 기도원에서 모든 막힌 것을 뚫어주신다고 좋은 응답을 주시더니 거기서 내려오는 날로 이런 일이 있었던 것이다. 이것은 틀림없이 하나님께서 주신 기회였다. 나는 다시 물고기 뱃속에서 풀려나온 '요나'를 생각했다. 그는 사흘 만에 물고기 뱃속에서 나왔는데 나는 3년 만에 풀려나는 것이었다.

요나가 3일 3야를 물고기 배에 있으니라(욘 1 : 17)

나는 뛸듯이 기뻐하며 물고기 뱃속에서 드리던 요나의 기도로 하나님께 감사의 기도를 드렸다.

내 영혼이 내 속에서 피곤할 때에 내가 여호와를 생각하였삽더니 내 기도가 주께 이르렀사오며 주의 성전에 미쳤나이다 무릇 거짓되고 헛된 것을 숭상하는 자는 자기에게 베푸신 은혜를 버렸사오나 나는 감사하는 목소리로 주께 제사를 드리며 나의 서원을 주께 갚겠나이다 구원은 여호와께로서 말미암나이다(욘 2 : 7~9)

요나가 사흘 만에 물고기 뱃속에서 나와 다시 하나님의 명령을 받고 니느웨로 갔듯이 나는 3년 만에 풀려나서 끝내 미국으로 가게 되었던 것이다. 나는 이제 만사가 다 해결되었을 뿐 아니라 하나님의 손을 잡고 그 인도하심을 받게 된 것이 너무 기뻤다. 그러나 나의 그 기쁨은 너무 이른 것이었다. 그것만으로 하나님께서 출제하신 문제가 다 해결된 것은 아니었고 아직도 그 문제를 다 풀기에는 어려운 고비가 더 남아있었던 것이다.

가시덤불 속으로

휴가가 끝나고 회사에 출근하자마자 나는 다시 바쁜 일정 속으로 뛰어들게 되었다. 무궁화 위성사업의 입찰서류가 이미 제출되었으므로 그 심사과정을 부지런히 추적하는 한편으로 희곡 '건너가게 하소서'의 원고를 완성하여 연예인 선교회의 전계현 권사에게 넘겼다. 전계현 권사는 작품의 스케일이 생각보다 커져서 걱정인 모양이었다.

"연극 제작의 경험도 없는데 첫 작품으로는 너무 벅찰 것 같네요."

"이왕 하나님의 일을 하시는데 한번 다부지게 해 보세요."

"모세 역에는 누가 좋을까요?"

"임동진 장로가 좋을 것 같군요."

나는 TV 드라마에서 보았던 그의 모습을 그려보며 말했다. 언뜻 보아 평범하고 세련된 도시인 같으면서도 이따금씩 번뜩이는 그의 야수 같은 눈빛이 하나님께 따지며 대드는 모세의 역할에 맞을 것 같았던 것이다. 그러면서도 나는 사장실 쪽의 분위기를 살피고 있다가 형편이 괜찮을 것 같은 날을 잡아서 사장실의 도어를 밀고 들어갔다. 사장은 나를 보자마자 우선 위성사업에 관한 일부터 물었다.

"무궁화 사업은 어떻게 되고 있지요?"

"아직까지는 순조롭습니다. 낙관만 할 수는 없지만 심사 위원들의 대부분이 영국 쪽을 선호하는 분들이어서 일단 안심은 됩니다."

"가격은 어때요?"

"그게 문제입니다만…… 우리 팀의 가격에 이미 상당한 의지가 반영되어 있고 개봉 후에도 최종 협상을 한번 더하게 되어 있어서 그 면에서도 유리하다고 할 수 있습니다."

"어쨌든 상황의 변화를 면밀하게 살피고 영국 회사 쪽에도 미리 방심하지 않도록 하는 게 좋을겁니다."

"알겠습니다. 그리고……."

중요한 사업에 관한 이야기를 하다가 선교여행 문제를 들고 나오기가 좀 거북했지만 어쨌든 기도하는 마음으로 부딪쳐 보는 수밖에 없었다.

"왜…… 다른 할 말이라도?"

"사장님께 꼭 부탁 드릴 일이 있습니다."

"뭔데요?"

나는 3년 전에 있었던 일부터 시작하여 미국에 안 갔던 것 때문에 그 동안 내가 겪어온 고초를 일일이 털어놓았다.

"이번에도 안 가면…… 정말 무슨 일이 생길는지 두렵습니다. 이번에는 무슨 일이 있어도 꼭 가야 할 입장입니다."

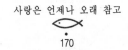

그러나 사장의 반응은 내가 생각했던 것과 달랐다. 3년 전에는 내가 안 가겠다고 했는데도 왜 가보지 그러느냐고 했던 분이 의외로 심각한 표정을 짓고 있었던 것이다. 사장은 한참 동안 입을 다물고 있더니 겨우 한마디를 했다.

"……생각해 봅시다."

나는 사장실을 나오면서 고개를 갸웃거리는 수밖에 없었다. 기도원에서 내려오자마자 편성국장의 제의가 있었기 때문에 이것은 틀림없이 하나님의 응답인 줄 알았고 그렇다면 하나님께서 아브라함의 종 '엘리에셀'에게 그러셨던 것처럼 '평탄한 길'을 예비해 놓으실 줄 알았는데 그만 뜻밖의 벽에 부딪히고 말았던 것이다.

(첫번째의 프로포즈 때 안 갔기 때문에…… 하나님께서 장벽을 설치하신 것인가?)

그러나 하나님께서 꼭 가라고 하시는 것이라면 어떤 조치가 있을 것으로 나는 믿었다. 그러나 나중에 알아보니 사장은 전보다 입지가 좀 약해졌는지 이 일을 혼자서 결정하지 않고 회사의 고위층에 있는 이 사람 저 사람에게 의견을 묻고 있는 모양이었다. 그렇게 한다면 기독교인이 아닌 분들은 당연히 반대 의견을 내놓게 될 것이 뻔했다. 나는 사흘을 더 기다려보다가 다시 사장실을 노크했다.

"어떻게 하면 좋겠습니까?"

사장은 나를 보자 다시 난처한 표정을 짓고 있었다.

"반대하는 사람들이 있어서 좀 곤란한데……."

"그렇게 어렵습니까?"

"김 이사도 이제 승진을 생각해야 할 때인데…… 인상을 나쁘게 해 놓으면 불리하거든."

역시 사장은 내 승진 문제 때문에 신경을 쓰고 있는 것 같았다. 그러나 지난 3년 간의 일을 생각해 보면 지금 승진 같은 것이 문제가 아니었다. 나는 이대로 물러설 수는 없다고 생각하며 더 밀어붙였다.

"입장이 곤란하시면…… 단기 휴직이라든가 무슨 행정적인 방법이 없겠습니까?"

"글쎄…… 임원에 관한 문제는 기획조정실 소관이어서."

"행정적으로도 방법이 없다면 저는 사표를 내는 수밖에 없습니다."

사장은 더욱 심각한 표정이 되더니 다시 말했다.

"어쨌든 내가 기획조정실 쪽에 좀더 알아볼테니까 기다려봅시다."

그러나 내가 보기에 사장의 그 말은 당장의 난처한 입장을 피해 보려고 하는 말에 지나지 않는 것 같았다. 그렇다면 이제 내게는 회사를 그만두느냐 마느냐 하는 선택만이 남아있는 것이었다.

"알겠습니다."

나는 그대로 사장실을 물러나오는 수밖에 없었다.

(드디어 문제가 심각해졌구나……)

나는 비로소 자신이 예삿일이 아닌 문제에 직면하고 있음을 깨닫게 되었다. 확실히 이것은 간단한 문제가 아니었던 것이다. 나는 또 한번 주변 사람들의 자문을 받는 수밖에 없었다. 그러나 3년 전과는 달리 이번의 문제는 가볍게 대답해 줄 수 있는 성질의 것이 아니었다. 내 이야기를 듣고서 그 심각성을 느낀 대부분의 상담자들은 한결같이 "기도해 보는 수밖에 없겠군요" 하면서 뒷걸음질을 치는 것이었다.

할 수 없이 나는 또 3년 전에 도움이 되어주었던 이재철 목사님에게 전화를 걸었다. 그는 이미 90년 3월에 목사 안수를 받고 출판사 일은 모두 사모님에게 맡겨놓은 채 목회에 전념을 하고 있었던 것이다.

"목사님…… 심각한 일이 또 생겼습니다."

"무슨 일이시죠?"

나는 지난 3년 동안 내가 당해 온 일들로 시작하여 기도원에서의 응답 그리고 기독교 방송의 두번째 제의와 사장의 반응에 이르기까지 모든 상황을 자세히 설명했다.

"……어려운 문제로군요."

그 분 역시 성급한 답변을 꺼리고 있었다.

"뭐 집히는 일이 없으십니까?"

하나님께서는 기도를 통해서 또는 성경말씀으로 답변을 주시기도 하지만 또한 주변 사람의 입을 통해서 답변을 주시기도 한다. 그러나 이제 마지막으로 내게 도움이 될 만한 말씀을 해 줄 분은 바로 이재철 목사님밖에는 없었다. 그렇다면 하나님께서는 이렇게 될 것을 미리 아시고 그 종에게 답변을 예비해 두셨는지도 모를 일이었다. 수화기의 저쪽에서 한참 동안 침묵이 계속되더니 목사님의 무거운 음성이 흘러나오기 시작했다.

"결국…… 김 권사님의 삶의 자리가 어디인가에 대한 근본적인 고찰을 해야 될 단계에 이른 것 같습니다. 이스라엘 백성들이 바벨론에 끌려갔을 때 다니엘은 궁중에 있었고 에스겔은 그발 강변의 난민촌에 있었지만 하나님 쪽에서 볼 때 두 선지자의 역할은 모두 다 중요했습니다."

그의 말은 즉 제도권 안에 있었던 다니엘과 제도권 밖에 있었던 에스겔의 사명이 다 하나님의 계획 속에서 준비되었다는 뜻이었다. 그 말 속에는 또 내게 던지는 질문도 포함이 되어 있었다. 당신이 서야 할 자리는 제도권 안이냐 아니면 제도권 밖이냐 하는 문제였다.

비록 내가 교회 밖에 있을 때이기는 했지만 공과대학을 나오고 대기업에서 일하게 된 것도 내가 소설을 쓰게 되었던 것처럼 하나님께서 미리 준비하신 것이라고 할 수 있었다. 그렇다면 아무래도 나를 에스겔과 같은 광야의 소리로 준비하신 것 같지는 않았다. 내가 들은 느낌으로 이 목사님의 말은 기업 안에서 당신의 위치를 찾으라는 이야기 같았다. 그것을 뒷받침하는 듯 이 목사님의 다음 말은 바로 그것을 시사하고 있었다.

"김 권사님의 이야기를 들으면서 나는…… 세바크의 길을 생각하고 있었습니다. 아브라함이 이삭을 데리고 모리아 산을 향해서 가던 그 길은 가시덤불의 길이었지요. 아들을 제물로 바치러 가는 아브라함의 길은 그런 아픔의 길이었지만…… 결국 그 가시덤불에 하나님께서 준비하신 양이 걸려있었지 않습니까?"

세바크의 길…… 그는 지금 비록 어렵더라도 그 가시덤불의 길을 가라고 말하는 것 같았다. 아브라함이 아들을 바치려고 결심한 것은 개인적인 행복의 포기를 의미하는 것이었다. 그렇다면 내게 세바크의 길이란 바로 하나님의 징계를 받더라도 힘든 길을 가라는 뜻인 것 같았다. 그의 다음 말이 그것을 뒷받침해 주고 있었다.

"우리 그리스도인들은…… 비록 자신이 징계를 받고 자신이 십자가를 질지언정 남에게 짐을 지워서는 안됩니다. 김 권사님 자신이 징계 받는 것이 두려워서 사장님께 짐을 지워드리는 것은 그리스도인의 할 일이 아니지요…… 어쨌든 최선을 다해서 선택하면 하나님께서 어느 길로 가든 좋은 길로 인도해 주실 것입니다."

나는 다시 마음이 무거워 오는 것을 느꼈다. 차라리 회사에 사표를 내버린다면 속이라도 시원할텐데 그의 말은 나로 하여금 당면한 문제로부터의 도피를 허용하지 않고 있었다. 사람들은 모두가 축복을 받겠다고 교회로 몰려든다. 그러나 내가 받을 축복을 포기하고 내가 징계를 당하는 일이 있더라도 하나님께 영광이 되지 않는 일은 하지 않는 것이 진정으로 하나님을 사랑하는 자의 길이라는 것을 나는 깨닫게 되었다. 이재철 목사님은 그래서 나에게 '세바크의 길'을 걸어가도록 강력하게 권고하고 있었던 것이다.

"감사합니다."

나는 그렇게 말하면서 힘없이 수화기를 내려놓았다. 이제 요나가 사흘 만에 물고기의 뱃속에서 풀려났듯이 3년 만에 이 괴로움에서 벗어나는 줄 알았는데 아직도 내게는 어두운 터널의 끝이 보이지 않고 있었던 것이다. 나는 기가 막혔다. 하나님께서 나에게 원하고 계시는 것은 도대체 무엇인가? 왜 구름기둥과 불기둥으로 분명한 명령을 내리시지 않고 이렇듯 어려운 문제를 주시는가?

다시 기도가 시작되었다. 그러나 이번에도 하나님의 응답은 없었다. 알아보겠다고 하던 사장님으로부터도 아무런 연락이 없었다. 나는 또 답답하여 하나님께 일방적으로 시한을 통고했다.

(아버지…… 이제 알아볼 만한 데는 다 알아보았습니다. 앞으로 사흘 간 하나님께서 아무런 조치도 없으시면…… 저는 그것으로 미국에 가는 일을 포기하겠습니다.)

그리고 그 사흘이 아무런 일도 없이 지나갔다. 사흘이 지나자마자 나는 사장을 찾아가서 미국에 가지 않기로 결정했다는 말씀을 드렸다. 사장은 그제야 짐을 벗었다고 생각했는지 표정이 홀가분해지고 있었다. 사장실에서 나온 나는 다시 기독교방송 편성국장에게 전화를 걸어서 대단히 죄송하지만 못 가게 되었노라고 백배 사죄를 했다. 그렇게 하고 수화기를 내려놓은 다음 나는 눈을 감았다.

“아버지…… 이것이 가시덤불의 길이 될는지는 모르지만 어쨌든 안 가는 쪽으로 결정을 했습니다. 기독교 방송의 일정이 저 때문에 차질이 생기지 않도록 도와주시기만 바랍니다.”

어쨌든 기도원에서의 응답과는 반대로 일은 엉뚱한 방향으로 결론이 나버린 셈이었다. 나는 다시 혼란의 미궁 속으로 떨어져 버렸던 것이다. 미국에 가는 일을 일방적으로 포기하기는 했지만 결코 나의 마음이 편안한 것은 아니었다. 그해 여름과 가을을 나는 정말 가시덤불 속을 가듯이 조마조마한 심정으로 넘기고 있었다.

그렇게 넘어가고 있던 10월의 마지막 날 나를 조금 안도하게 해 준 일이 생겼다. 해외의 네 회사와 국내의 4대 기업이 모두가 자존심을 걸고 경합을 벌이던 무궁화 위성사업의 1차 심사 발표가 있었는데 네 회사 중에서 미국의 제너럴 일렉트릭과 영국의 브리티시 에어로스페이스 양사가 통과되었다는 소식이었다.

이 1차 심사는 제품규격 및 기술전수 등 346개의 항목을 검토하는 기술심사였다. 가장 중요하고도 까다로운 그 기술검사에 통과되었으니 이제 남은 것은 가격을 비교하는 2차 심사뿐이었다. 가격심사의 경쟁사인 제너럴 일렉트릭은 원가가 높은 미국 회사여서 이것은 거의 다 이겨놓은 것이나 다름이 없었다. 사방에서 축하 전화가 걸려와서 나는 회심의 미소를 지으며 그들의 전화를 받았다.

“감사합니다. 그러나 최종 발표가 남았으니 기다려 봐야지요."

나는 그 동안 탈고한 장편 소설 〈다가오는 소리〉의 원고를 홍성사에 전달해 놓고 무궁화 위성의 최종 결과 발표에만 온 신경을 집중하고 있었다. 그러나 최종 심사의 발표를 며칠 앞두고 갑자기 이상한 징조들이 나타나기 시작했다. 미국의 귀빈들이 대거 한국을 방문하기 시작했던 것이다. 베이커 국무가 날아오고 체니 국방이 찾아오더니 마침내 한국과의 무역협상에서 칼을 휘두르던 미국 무역대표부의 칼라 힐스가 내한하여 무궁화 위성사업에 '큰 관심'을 표시했던 것이다.

그런 미묘한 상황변화와 함께 새벽기도 시간에 드리는 나의 기도도 점점 다급해지고 있었다. 하나님께서 우리와 함께 하시면 저들은 우리의 밥이라고 하던 여호수아와 갈렙의 말을 나는 인용하였다.

"하나님…… 제 후원자는 오직 하나님뿐입니다. 그까짓 체니 국방이나 칼라 힐스 같은 사람 수백 명이 찾아오더라도 하나님께서 도와주시면 저는 이길 수 있습니다. 제발 하나님…… 이번 일로 하나님과 제가 도매금으로 망신당하는 일이 없도록 힘좀 써 주십시오."

나는 계속해서 관계기관을 찾아다니며 눈치를 살폈다. 미국 정부의 압력을 받고 있는 듯한 기색은 아직 보이지 않고 있었다. 한참 무궁화 위성 때문에 정신이 팔려다니던 어느 날 아내가 말했다.

"여보, 이젠 집안 일에도 신경 좀 쓰세요."

"집안 일……?"

"아이들 원서를 써야 하는데……."

"아…… 그랬었군."

우리 집에는 입시생이 둘 있었다. 재수한 예나와 한 살 아래의 아들 예훈이가 함께 원서를 내야 했던 것이다. 나는 지난해에 겸손해야 한다며 딸의 원서를 너무 낮게 넣었다가 실패한 경험이 있어서 이번에는 시편 81편의 말씀에 의지하여 둘 모두 과감하게 서울대를 지원하도록 권했다.

네 입을 크게 열라 내가 채우리라(시 81 : 10)

아이들의 원서를 제출하기 위하여 친구와 함께 서울대에 다녀온 아내가 저녁에 내게 말했다.

"떨리더군요. 서울대에 두 장을 넣다니."

"이제야 남편이 좋은 학교 나왔다는 것을 실감했겠군."

"함께 갔던 친구는 서울대에 와본 것만 해도 영광이래요."

이상하게도 '요나의 사건'에 걸려든 후 나에게는 '사흘' 또는 '3년'이라는 것이 따라다니고 있었다. 기도원에 가서도 사흘 금식을 했고 내려와서 기독교 방송의 두번째 요청을 받은 것도 3년 만이었고 하나님께 시한부 통고를 했던 것도 사흘이었다. 그런데 이번에는 또 아이들의 입학 원서를 제출하고 나서 사흘째 되던 날 또 한번 무서운 태풍이 우리 가정에 불어닥쳤던 것이다.

"여보…… 나좀 봐요."

그날도 나는 칼라 힐스 때문에 신경을 쓰다가 곤하게 잠이 들어있었는데 아내가 흔들어 깨우는 바람에 눈을 떴다. 아직 한밤중이었다.

"왜 그래……?"

"이상해…… 피가 멈추지를 않아요."

"피……?"

아내는 얼마 전부터 조금씩 하혈이 있었는데 자다가 통증이 심한 것 같아서 깨어보니 하혈이 매우 심할 뿐만 아니라 멈추지를 않는다는 것이었다. 그러지 않아도 아내가 늘 빈혈 상태여서 걱정해 온 나는 초조하게 밤을 보내다가 날이 밝자마자 아내를 데리고 병원으로 갔다. 진찰을 해 본 의사는 아내의 자궁에 혹이 생겼다고 말했다.

나는 또 눈앞이 아득해지는 것을 느꼈다. 아내가 위암으로 수술을 받은 것이 꼭 10년 전인데 또 혹이 생겼다니 가슴이 철렁할 수밖에 없었던 것이다. 대개 암으로 수술을 받고서 5년이 넘으면 안심할 수 있다고들 말하지만 경우에 따라서는 10년이 지나서 재발하는 사람들도 꽤 있었다. 그리고 그 암이라는 것은 임파선을 타고 옮겨다니기 때문에 다른 부위에서 재발을 할 수도 있는 것이었다. 나는 좀 떨리는 목소리로 물었다.

"선생님, 혹이라면……."

의사는 내가 걱정하는 것이 무엇인지 알겠다는 듯 좀더 자세히 설명을 해 주었다.

“종양이 악성인지 아닌지는 일단 조직 검사를 해 봐야 알겠지만 어느 쪽이든 그대로 둘 수는 없으니 수술을 하는 것이 좋겠군요.”

다행히 종양은 악성이 아닌 것으로 나타났지만 아내는 수술을 받기 위해서 또 입원을 해야 했다. 10년 전에는 위 수술을 받기 위해서 윗배를 쨌는데 이번에는 또 아랫배를 째야 하는 것이었다. 나는 참으로 아내 보기가 민망해서 고개를 들 수가 없었다. 10년 전 아내가 위암에 걸렸을 때에도 그것이 나 때문이라는 것을 깨닫고 괴로워했는데 이번에도 하나님의 뜻이 작용했다면 그것은 또 나 때문임이 틀림없었다.

(왜 하나님께서는 문제가 생길 때마다 그 장본인인 나에게 손을 대시지 않고 몸이 약한 아내의 배를 찢으시는가……?)

아내는 10년 전에 위 수술을 받은 이후 계속해서 빈혈 상태였고 늘 몸이 연약한 상태여서 이번 수술에는 자신이 없었는지 수술실로 들어가기 전에 대학 입시를 앞두고 있는 큰딸에게 살림을 인계했다. 나 때문에 두번씩이나 배를 째야 하는 아내가 수술실로 실려들어가는 것을 바라보며 나는 마음이 몹시 서글펐다.

(믿는 사람도 고난을 당한다고는 하지만…… 이 지경이면 믿는 자나 안 믿는 자나 다를 바가 무엇이란 말인가?)

나는 사실 고난 가운데서 하나님을 만났고 또 고난 가운데서 좋은 작품들을 써왔기 때문에 교회의 청년들에게 설교를 할 때에나 헤브론 기도회에서 성경을 공부하는 시간에도 바로 그 고난의 의미에 대해서 긍정적인 해석을 들려주었었다. 그러나 막상 이런 일을 연거푸 당하고 보니 기가 죽지 않을 수 없었던 것이다.

"아내를 살려주십시오……."

나는 다시 수술실 밖에 쭈그리고 앉아서 새벽기도 시간에 읽었던 시편 123편의 시로 기도를 드렸다.

하늘에 계신 주여
내가 눈을 들어 주께 향하나이다
종의 눈이 그 상전의 손을
여종의 눈이 그 주모의 손을 바람같이
우리 눈이 여호와 우리 하나님을 바라며
우리를 긍휼히 여기시기를 기다리나이다
여호와여 우리를 긍휼히 여기시기를 기다리나이다
여호와여 우리를 긍휼히 여기시고 긍휼히 여기소서
심한 멸시가 우리에게 넘치나이다
평안한 자의 조소와 교만한 자의 멸시가
우리 심령에 넘치나이다……
(시 123 : 1~4)

수술실 앞에서 허탈한 심경으로 그렇게 기도를 드리고 있는데 누군지 수술실 안에서 급히 나를 찾는 소리가 들려왔다.

"이화숙 씨 보호자 계시면 들어오세요!"

그 순간 나는 얼굴에 핏기가 사라지며 심장이 멎는 것을 느꼈다. 아내가 수술로 들어간 지 얼마 되지도 않았는데 보호자를 찾는다면 이건 무슨 사고가 난 것임에 틀림없었던 것이다. 후들거리는 다리로 간신히 일어서 안으로 들어가 보니 의사가 어느새 수술로 떼어낸 부분을 들고 서 있다가 그것을 내게로 내밀었다. 보호자에게 수술 결과를 확인시켜 주는 과정이었다. 의사는 고무장갑을 낀 손으로 그것을 뒤적거려 보여주며 말했다.

"이 부분이 바로 그 혹입니다."

나는 떨리는 가슴을 진정하며 물었다.

"수술은 잘되었습니까?"

"염려 마세요. 곧 회복실로 옮겨갈 것입니다."

아내가 위 수술을 받을 때에는 네 시간이 걸렸었는데 자궁 수술은 그에 비해서 간단한 것인지 1시간 20분 정도밖에 걸리지 않았던 것이다. 나는 그제야 가슴을 쓸어내리며 의사에게 꾸뻑 절을 했다.

"선생님, 감사합니다. 수고하셨습니다."

다행히 수술은 잘되고 경과가 좋았지만 아내는 퇴원을 한 후에도 한동안 자리에 누워있어야 했다. 그러는 동안 무궁화 위성 입찰의 최종 결과가 발표되었다. 뜻밖에도 최종 낙찰자는 미국의 제너럴 일렉트릭 회사였다. 그 회사의 낙찰 가격은 브리티시 에어로스페이스의 가격을 단 750만 불 차이로 가볍게 누르고 이겼던 것이다. 파격적인 가격을 넣었던 브리티시 에어로스페이스 회사의 영업 담당 간부들과 나도 놀랐지만 많은 관계자들이 의아한 표정을 지었다.

"이거…… 뭐 장난이 있는 거 아니야?"

"입찰 가격은 봉인하여 금고에 보관되어 있었는데……."

그런데 더욱 이상한 것은 입찰 가격을 개봉한 후의 일이었다.

"가격의 최종 협상은 언제 합니까?"

"이것으로 낙찰자는 확정되었습니다."

"아니…… 입찰공고서에는 가격의 최종 협상 절차가 있다고 했는데?"

"최종 협상은 없습니다."

그것으로 끝이었다. 나는 패전지장이 되어서 물러서는 수밖에 없었다. 무궁화 위성의 낙찰자 발표가 있던 그날은 바로 임원들의 승진을 심사하는 인사고과가 있던 날이었다. 나는 사장실에 들어가 면목 없다는 듯이 고개를 숙였다.

"사장님…… 죄송하게 됐습니다."

사장은 침통한 표정인 채로 아무 말이 없더니 그래도 미련이 남아있었던지 입을 열었다.

"브리티시 에어로스페이스에 얘기해서…… 이의를 제기해 보도록 합시다."

"네."

나는 기어들어가는 소리로 그렇게 대답하고 사장실을 나왔다. 그날 최종 낙찰자의 발표와 함께 여러 신문들이 무궁화 위성의 입찰 과정에 문제가 있다는 기사를 실었고 브리티시 에어로스페이스 회사도 이의 제기를 했지만 아무런 소용도 없었다. 한국통신은 최종 낙찰자인 제너럴 일렉트릭 회사와 신속하게 계약을 체결해 버렸고 그렇게 만사는 끝나버린 것이었다. 나는 하늘을 향해 두 손을 들고 부르짖었다.

"아아…… 결국 주께서는 저와 함께 도매금으로 망신 당하시는 길을 택하셨군요! 하나님의 권능이 칼라 힐스에게 밀리셨습니까? 말씀하십시오. 무엇으로 이것을 설명하시겠습니까? 원수 앞에서 상을 베푸신다고 하시더니 이번에는 원수 앞에서 부끄러움을 주셨군요…… 이 프로젝트의 책임자는 내가 아니고 바로 하나님이셨지 않습니까?"

나는 그만 너무나 부끄러워서 내 방 밖으로 나갈 수도 없었다. 나는 다시 그 시편 123편을 생각하고 있었다.

심한 멸시가 우리에게 넘치나이다
평안한 자의 조소와 교만한 자의 멸시가
우리 심령에 넘치나이다……

아내가 자리에 누워있는 동안에 내가 추진하던 프로젝트는 이렇게 참담한 패전을 했고 그런 와중에서 두 아이는 대학 입시를 치렀다. 나는 다시 민수용 헬리콥터의 개발에 관한 일로 모스크바로 출장을 떠났다. 출장 업무를 끝내고 나서 지사의 사무실로 돌아와보니 서울에서 팩스가 들어와 있었다. 임원들의 승진 인사 발표에 관한 것이었다. 물론 내 이름은 그 명단 속에 없었다. 나는 모스크바에서 그렇게 쓸쓸한 크리스마스를 보냈다.

고르바쵸프가 사임하던 그날 나는 평양식당에서 냉면을 먹고 나서 자료만 가지고 썼던 〈땅끝의 시계탑〉의 윤종혁 과장이 지나갔던 붉은 광장과 아이스크림처럼 생긴 바실리 성당 등을 둘러보며 생각에 잠겨있었다. 3년 전부터 내게 출제된 그 어려운 시험 문제는 아직 손도 대보지 못한 채로 그냥 남아있었던 것이다.

모스크바를 떠나던 날 나는 셰레메티에보 공항에서 소련과 중국 선교에 헌신하는 68세의 목사님 한 분을 만났다. 요란한 소리부터 내는 다른 선교사들과는 달리 그 분은 묵묵히 소련과 중국의 벽지에 병원을 세워주는데 힘을 쏟고 있는 분이었다. 하나님의 소설을 쓰는 일조차 제대로 못하며 세상 일에만 매달려 사는 내 모습이 몹시 부끄럽게 여겨지고 있었다.

(소련의 움직임을 보면 정말 때가 가까워오고 있는 것 같은데 내가 이러고 있어도 되는 것인가……?)

서울로 향하는 비행기 속에서 이런 생각에 잠겨있던 나는 김포 공항이 가까워지자 비로소 집안 일이 생각났다. 바로 그 전날은 서울대학의 합격발표가 있는 날이었다. 아내의 성격으로 보아 지사나 호텔로 국제전화를 했음직도 한데 아무런 연락도 없었던 것이다. 무소식이 희소식일 수도 있었고 그 반대일 수도 있었다. 김포 공항에 내려서 전화를 할까 하다가 그대로 집으로 향했다.

(어차피 이제는…… 가시덤불의 길이니 하나님께서 하시는 일을 두고 봐야지.)

나를 마중하기 위해 공항에 나온 운전기사는 내가 승진 안 된 것을 알고 있었기 때문인지 입을 다문 채 차를 몰고 있다가 화제를 대학입시 쪽으로 돌렸다.

"이사님댁 자녀들은 어떻게 되었습니까?"

우리 아이들이 둘 다 서울대를 지원했다는 것을 회사 사람들이 모두 알고 있었던 것이다.

"어떻게 됐는지 아직 모르겠군요. 집에 가면 알게 되겠지요."

"그거라도 잘되셔야 할텐데……."

기사는 기어코 그 이야기를 하고 말았다. 그 나름대로 나를 위로하는 말이었던 것이다. 어쨌든 고마운 말이었다. 나는 어차피 사바크의 길을 걷더라도 아이들에게는 하나님께서 복을 주실 것 같기도 했다. 여러가지 경우를 생각해 보며 집에 도착하여 초인종을 누르니 딸이 나와서 문을 열었다. 나는 딸을 보자마자 물었다.

"어떻게 됐어?"

딸은 우물우물 하더니 대답을 못하고 있었다. 소파에 비스듬하게 누워있던 아내가 몸을 일으키며 떨떠름한 표정을 지었다.

"하나는 되고…… 하나는 안됐다우."

"누가 되고 누가 안됐다는 거야?"

방에 들어가 있던 아들이 나오면서 말했다.

"누나가 됐어요."

우선 몸이 약한 딸이 되었다니 다행이었다. 딸이 재수를 하는 동안 길거리에 활개 치고 다니는 여대생들만 보면 그렇게 부럽더니 이제 그 시름을 놓게 되었는데 이번에는 풀이 죽어 있는 아들을 또 그렇게 한해 동안 지켜봐야 하는 것이었다. 아들은 사내랍시고 사내다운 말을 했다.

"그래도 누나가 돼서 다행이에요."

그렇게 말은 했지만 표정은 매우 착잡해 보였다. 나는 아들의 어깨를 잡으면서 말했다.

"섭섭해 할 것 없다. 나도 떨어졌으니 남자끼리 동지가 됐구나."

그러나 가시덤불의 길은 아직도 그 입구에 있다는 것을 나는 아직 모르고 있었다. 내가 모스크바에서 돌아온 다음날은 바로 12월 31일이어서 헤브론 기도회가 신년 수련회를 위해 출발하는 날이었다. 수술 후의 조리를 위해 집에 있어야 하는 아내를 남겨두고 나와 아이들은 모두 수련회에 참가했다. 울산에서 근무하고 있는 회원이 있어서 그해의 산행은 경주 토함산으로 잡았고 새해 첫날의 새벽에 산행이 시작되었다.

경주는 본래 옛 신라의 고도답게 불교 인구가 대부분을 차지하고 있는 고장이었다. 이른 새벽에 출발을 했는데도 토함산 가는 길은 사람들로 가득차 있었다. 관광객이 그토록 많을 리가 없어서 어디로 가는 것이냐고 물어보니 그들 모두가 석굴암으로 가는 시민들이었다. 새해 첫날에 석굴암의 부처에게 절을 하면 일년 내내 운수가 대통한다고 해서 그렇게 모두들 석굴암으로 간다는 것이었다.

(경주란 곳이…… 바로 한국의 땅끝이로군.)

그런 생각을 하며 사람들 틈에 끼어서 토함산 가는 길로 올라가다가 나는 좀 기분이 이상해져서 걸음을 멈추었다. 가슴이 뻐근해 오면서 걸음을 걷기가 힘들었던 것이다. 걸음을 멈추고 잠시 있었더니 좀 나아지는 것 같아서 다시 걷기를 시작했는데 얼마 안되어 가슴은 또 뻐근해지며 아파왔다. 가파른 길도 아닌데 자주 걸음을 멈추니까 딸이 걱정스러운 듯 물었다.

"아빠, 왜 그래요?"

"아냐…… 토함산의 귀신들이 나를 오지 못하게 막는 모양이다."

많은 인파 때문에 산행이 늦어져서 시간이 많이 지체되었기 때문에 그날 우리는 토함산의 정상까지 올라가지 않고 중턱에서 예배를 드렸다. 우리는 시편 57편의 말씀을 나누며 어둠의 세력을 물리치자고 다짐을 했다.

저희가 내 걸음을 장애하려고
그물을 예비하였으니
내 영혼이 억울하도다
저희가 내 앞에 웅덩이를 팠으나
스스로 그 중에 빠졌도다

하나님이여 내 마음이 확정되고
확정되었사오니
내가 노래하고 내가 찬송하리이다
내 영광아 깰지어다
비파야 수금아 깰지어다
내가 새벽을 깨우리로다……
(시 57 : 6~8)

그러나 문제는 그것으로 끝난 것이 아니었다. 수련회를 끝내고 서울로 돌아와서 1월 4일 새벽에 다시 새벽기도를 나가는 길에 또 가슴이 뻐근한 증세가 시작되었다. 간신히 교회까지 가서 기도를 드리면 좀 괜찮아지는 듯하다가 돌아오는 길에서 또 같은 증세가 반복되는 것이었다. 그리고 그런 일은 새벽마다 계속되었다.

(토함산 귀신이 서울까지 따라와서 새벽기도를 못 나가게 하는가……? 그렇다면 믿음으로 이겨야지.)

그러나 그 증세는 날이 갈수록 더욱 심해지고 있었다. 그로부터 엿새 후에는 이제 새벽뿐만이 아니라 아침 9시가 넘어서도 그 증세가 나타나고 있었다. 비로소 나는 뭔가 심상치 않은 건강 상의 문제가 생겼다는 것을 깨닫고 서울대 병원의 심장 전문의인 이영우 박사를 찾아가기 위해서 예약을 했다. 수술받은 지 얼마 되지도 않은 아내가 사태의 심각성을 눈치 챘는지 따라 나섰다.

"그냥 집에 있지 그래?"

그러나 아내는 안심이 안되는 모양인지 따라나서는 것이었다. 병원에 도착해서 주차장에 차를 대놓고 현관을 향해 걸을 때 벌써 문제가 나타나기 시작했다. 나는 아내의 걸음도 따라가지 못해서 뒤에 처진 채 끙끙대고 있었던 것이다. 의사를 만나서 증세를 설명하자 그는 혈압과 맥박을 재보더니 검사 용지를 한 웅큼 내주는 것이었다. 의사의 지시에 따라 곧 복잡한 정밀 검사가 시작되었다.

검사 항목은 매우 많았다. 엑스레이 검사, 심전도 검사, 혈액 검사, 소변 검사 등 수많은 검사 항목마다 검사 용지를 들고 다른 환자들 틈에 끼어 차례를 기다리면서 나는 참담한 생각이 들었다.

(주여…… 저를 왜 이런 곳으로 몰아넣고 계십니까? 이 많은 사람들 중에도 제 얼굴을 알아보는 사람들이 많을텐데 그러면 하나님 체면은 도대체 어떻게 되시는 겁니까?)

검사의 마지막 항목은 '트레드 밀' 테스트였다. 움직이고 있는 벨트 위에 올라가 걸으면서 혈압과 맥박을 체크하는 검사였다. 검사를 담당하고 있는 의사가 물었다.

"니트로 글리세린 가지고 계십니까?"

"그게 뭐지요?"

"협심증 증세가 발작할 때 사용하는 비상약이지요."

나는 아직 '협심증'이라는 것이 무엇인지도 모르고 있었다. 나는 가끔 회사에서 윗사람들이 결단을 못 내리고 주저하는 것을 보면 협심증인 모양이라고 놀려대곤 했었는데 나는 그것을 '소심증'과 같은 것으로 생각하고 있었던 것이다. 의사는 알겠다는 듯이 간호원에게 니트로 글리세린을 준비시키고 나서 나에게 벨트 위로 올라서라고 일렀다.

"조금씩 속도를 올릴테니까 가슴이 아프면 말씀하세요."

내가 벨트 위에 올라서자 의사는 트레드 밀의 스위치를 넣었다. 벨트가 돌아가기 시작하고 나는 벨트 위에서 걷기 시작했다. 간호원이 모니터와 레코더를 주의 깊게 들여다보고 있었다. 의사는 다시 주의를 주었다.

"아프면 말씀하세요."

"알았습니다."

얼마간 그렇게 걷고 있으려니까 의사가 다시 벨트의 속도를 2단으로 높였다. 걸음이 좀더 빨라지기 시작했다. 그러나 속도를 올린 지 얼마 되지도 않아서 가슴이 뻐근해 오고 있었다.

"아픈데요."

의사는 즉시 벨트를 멈추더니 내려오라고 말했다. 내려오자 간호원이 니트로 글리세린을 한 알 주면서 먹으라고 했다. 약을 먹고 조금 있으니까 뻐근한 증세가 가라앉는 것 같았다. 기록 용지를 들여다보고 있던 의사가 물었다.

"아직도 아프세요?"

"아뇨…… 좀 괜찮아졌는데요. 무슨 증세인 것 같습니까?"

"글쎄요…… 협심증인 것 같습니다만 검사 결과를 종합해 봐야지요."

나는 힘 없이 트레드 밀 검사실을 걸어나왔다. 밖에서 초조하게 기다리고 있던 아내가 다가와 물었다.

"뭐래요?"

"협심증 같대."

"협심증이 뭐죠?"

"나도 잘 모르겠어."

검사가 다 끝난 후 이영우 박사는 검사 결과를 모두 종합해 보고 나서 협심증이라고 결론을 내렸다.

"협심증이란…… 어떤 것입니까?"

"심장으로 들어가는 관상동맥 중의 일부가 막히거나 좁아져서 혈액의 공급이 순조롭게 안되는 것을 협심증이라고 하지요."

"이제 어떻게 해야 합니까?"

"수술 여부를 판정하기 위해서 심혈관 조영검사를 해야 되겠습니다."

그 검사에 대해서는 나도 들은 적이 있었다. 내가 아는 일본 회사의 간부 하나가 바로 그 검사를 받았다면서 하는 이야기를 들은 적이 있었던 것이다. 심혈관 조영검사란 다리의 혈관을 절개한 다음 가느다란 대롱 즉 카테터라는 것을 혈관 속으로 밀어넣으면 허리의 대동맥을 타고 심장까지 들어가는데 그 대롱을 통해 조영제를 투입하고 엑스레이 영화를 촬영하여 관상동맥의 구조적 이상을 관찰하는 검사방법이었다.

그 일본 사람의 이야기를 들으면서 혈관 속으로 대롱을 밀어넣다니 참 끔찍한 일이구나 하고 생각했었는데 의사는 지금 나에게 바로 그 검사를 받아야 한다고 말했던 것이다.

"그 검사는…… 어떻게 해야 하나요?"

"혈관을 절개해야 하기 때문에 입원 검사를 해야 합니다. 곧 입원 수속을 하십시오."

"알겠습니다."

이제 드디어 나는 주님 안에 갇히는 신세가 된 것이었다. 나보다도 아내가 더 애처로웠다. 수술을 받고 나서 아직 몸이 완전히 회복되지도 않았는데 이제는 내 보호자가 되어서 입원 수속을 하기 위해 이리 저리 뛰어다니고 있었던 것이다. 하나님은 왜 이렇게 슬픈 영화를 좋아하시는 것일까. 입원 준비를 하기 위하여 집으로 돌아오는 찻속에서 나는 아내에게 이렇게 말했다.

"당신 몸이 회복되기도 전에 이런 일을 당하게 되니 무슨 영문인지를 모르겠어."

"믿는 사람도 고난을 당한다고 늘 그랬잖아요?"

"허기야…… 우리라고 옳게만 살아온 것은 아닌데 우리만 마냥 신나게 살라고 놔두시면 공평하신 하나님이라고 할 수 없겠지."

이스라엘의 조상인 야곱은 하나님의 선택을 받았다 하더라도 형의 장자권을 속임수로 가로챈 일 때문에 그의 평생에 많은 고난을 당했던 것이다.

"내 생각도 그래요."

“무슨 이유인지는 모르지만…… 하나님께서 야곱에게 하셨던 것처럼 언젠가는 이 고난을 복의 씨앗으로 바꿔주실거요.”

나는 아내에게 그렇게 말하면서 지난 10년 간 주님과 나 사이에 있었던 일들을 회상하고 있었다. 아내가 위암으로 수술을 받은 일 때문에 나는 하나님과 만나게 되었고 그 분과 많은 대화를 나누었고 그러는 동안에 그리스도인들을 놀라게 한 많은 작품들이 쏟아져 나왔었다. 그러나 나는 그 동안 결코 의롭게만 살아왔다고는 자부할 수 없었다. 그러나 하나님을 인정하고 사랑한다는 것만은 누구에게라도 큰 소리로 말할 수 있었다. 그것만으로 나는 만족해야 했다.

(하나님…… 지난 10년 간 참 굉장했지요. 주님과 저는 열심히 일했어요. 제가 그 동안 부족하여 잘못하고 실족한 것이 있다 하더라도…… 이제 그 섭섭한 마음을 푸시고 다시 주님의 원하시는 길로 인도해 주십시오.)

물과 불을 지날 때

내가 심혈관 조영 검사를 받기 위해서 서울대 병원에 입원을 한 날 소식을 듣고 달려온 헤브론 기도회의 식구들이 간절히 기도를 해 주었다. 특히 회원 중의 한 자매님은 그 부군되는 분을 바로 그 협심증으로 잃었기 때문에 더 당황하고 있는 표정이었다. 기도해 주는 회원들이 고맙기도 했지만 또 한편으로는 부끄럽기도 했다. 성경공부를 인도하며 늘 고난에 대해서 긍정적인 해석을 하던 사람이 지금은 자신의 문제에 걸려서 도대체 무슨 영문인지 짐작도 못하고 있기 때문이었다.

"믿음의 승단 심사를 받는다고 생각하세요."

"고맙습니다. 뭔가 주님의 계획이 있으시겠지요."

나는 그렇게 어정쩡한 대답을 하는 수밖에 없었다. 그날 저녁 나는 간호사들의 체크를 받고 검사 준비를 하면서 착잡한 생각에 잠겨있었다. 수술 후의 조리를 위해서 집에 누워있어야 하는 아내가 이번에는 보호자가 되어 내 병실에 창백한 얼굴로 앉아 있는 것을 보니 자꾸만 서글픈 생각이 들었던 것이다.

(하나님을 모르는 사람들이 이런 경우를 당했다면…… 팔자

가 기구하다는 말로 표현을 하겠지.)

다음날 아침에 간호사가 들어오더니 심혈관 검사실에 갈 시간이 되었다고 알려주었다. 나는 벌거벗은 몸에 시트만 덮은 채 운반용 카트에 누워서 검사실로 들어가는 신세가 되었다. 아내가 두번이나 겁에 질린 표정으로 수술실에 실려 들어가던 바로 그 모습이 되어서 검사실로 들어가게 되었던 것이다. 따라오던 아내는 검사실 입구에서 멈추어 섰고 나는 결국 혼자가 되어 검사실로 들어가 검사대에 옮겨 눕혀졌다. 그리고 다리 위쪽의 혈관을 절개하기 위해서 국부마취가 시행되었다.

"두 손을 위로 치켜드십시오."

두 손이 내려져 있으면 검사에 방해가 되기 때문이었다. 내가 두 손을 위로 치켜들자 의사는 두 손을 끈으로 묶었다. 마치 두 손을 들고 항복하는 자세와 같았다. 부흥회 같은 데서 두 손을 들고 '천부여 의지 없어서 손들고 옵니다' 하는 찬송을 부를 때의 그 자세였던 것이다. 나는 두 손을 치켜든 채로 시편 143편에 나오는 다윗의 호소를 떠올렸다.

주의 종에게 심판을 행치 마소서
주의 목전에는 의로운 인생이 하나도 없나이다
원수가 내 영혼을 핍박하며
내 생명을 땅에 엎어서
나로 죽은 지 오랜 자같이
흑암한 곳에 거하게 하였나이다

그러므로 내 심령이 속에서 상하며
내 마음이 속에서 참담하니이다
내가 옛날을 기억하고
주의 모든 행하신 것을 묵상하며
주의 손의 행사를 생각하고
주를 향하여 손을 펴고
내 영혼이 마른 땅같이 주를 사모하나이다……
(시 143:2~6)

바로 눈 앞에 TV의 화면과 같은 모니터가 걸려있었다. 나는 언젠가 또 이런 장면을 소설로 쓰게 될는지도 모르기 때문에 두 손을 든 채로 그 화면을 유심히 바라다보고 있었다. 화면에 희미하게 내 등뼈가 나타나더니 의사가 다리의 혈관을 절개하고 그 혈관 속으로 가느다란 카테터를 밀어넣기 시작하자 대동맥을 타고 실뱀처럼 기어 올라가는 카테터가 화면에 보이고 있었다.

대동맥을 타고 올라가던 카테터의 앞부분이 갑자기 인사라도 하듯 구부러졌다. 카테터의 끝이 심장의 관상동맥으로 들어갔다는 뜻이었다. 카테터는 두 개를 넣는 모양이었다. 또 하나의 카테터가 실뱀처럼 기어올라가더니 또 고개를 꺾었다. 그리고 그 카테터 속으로 조영제가 주입되자 마침내 화면에는 세 개의 관상동맥을 통해서 심장으로 퍼져 들어가는 혈류가 그대로 보이는 것이었다.

(저것은……?)

본래 관상동맥은 세 개로 되어 있는데 내가 보기에 세 개의 관상동맥 중에서 가운데 있는 것이 끊어져 있었고 나머지 두 개의 동맥을 통해서만 혈액이 흘러들어가고 있었다. 화면을 관찰하고 있던 의사가 내 옆으로 다가오더니 고무 장갑을 낀 손가락으로 화면을 가리켰다.

"세 개의 관상동맥 중에 가운데 있는 것이 끊어져 있지요?"

"그렇군요."

"그것은 즉 가운데 혈관이 막혀있다는 뜻입니다. 혈관이 막혀있으니까 혈류가 끊어져 보이는 것이지요."

"그것이 협심증입니까?"

의사는 친절하게 설명을 해 주었다.

"그렇습니다. 세 개의 동맥 중에서 하나가 막혀있고 나머지 두 개만을 통해서 피가 공급되고 있는 것입니다. 그러니까 혈류가 부족하게 되고 따라서 피가 충분히 공급되지 못하므로 심근이 손상되고 그렇게 되면 심근경색이나 심장마비 등으로 사망하게 되는 것이지요."

심근이 손상된다는 말은 즉 심장의 근육이 썩는다는 뜻이었다. 그래서 혈류가 부족하게 되면 심근이 위험하다고 호소하는 신호가 바로 가슴의 통증이고 그것이 곧 협심증이라는 것이었다.

"그러면…… 이제 어떻게 해야 합니까?"

나는 마치 작가가 소설에 나오는 주인공의 문제에 대하여 상의하듯 담담한 말투로 의사에게 물었다.

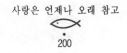

"두 가지 방법이 있습니다. 그 하나는 카테터의 끝에 풍선을 장착하여 혈관에 밀어넣은 다음 그것을 팽창시켜서 좁아진 혈관을 확장시켜 주는 방법인데…… 지금 김 선생의 경우는 막힌 부위가 너무 길어서 그 방법이 어려울 것 같습니다."

"또 한 가지는요?"

"폐쇄된 혈관을 잘라내고 다른 부위의 혈관을 떼어다가 우회로를 만들어 주는 방법이 있습니다만…… 그것을 할 수 있는지는 몇가지 확인을 더해 봐야 할 것 같습니다."

두 가지가 모두 다 말로만 듣던 심장수술에 관한 이야기였다. 그리고 그 수술 자체가 매우 힘들고 위험한 수술이어서 수술 도중에 사망하는 일도 있다는 것을 나는 이미 들어서 알고 있었다.

검사를 끝내고 병실로 돌아와서 절개된 혈관이 아물기를 기다리는 동안 나는 절개했던 부위에 돌을 올려놓은 채로 여덟 시간 이상을 꼼짝도 못하고 바른 자세로 누워있어야 했다. 하나님께서 내게 기합을 주어도 단단히 주시는구나 하는 생각이 들었다.

의사는 결국 수술 방법을 찾아내기 위하여 핵사진을 찍어보아야 하겠다고 말했다. 그러나 핵의학실의 예약이 워낙 많이 밀려있어서 나는 2월 19일에 예약을 해 놓고 집으로 돌아와야 했다. 의사는 내게 헤르벤과 시그마트라는 약을 복용하게 했고 걸을 때는 천천히 걸을 것이며 니트로 글리세린을 준비하고 다니다가 가슴이 아픈 발작이 시작되면 그것을 입에 넣으라고 주의를 주었다.

병원에서 퇴원한 다음날은 두 군데 교회에 특강 약속이 되어 있는 날이었다. 나는 아직도 혈관이 절개되었던 부위에 반창고를 붙인 채였기 때문에 절룩거리며 그곳들을 찾아가서 2시간 반이나 하는 긴 강의를 두 군데 모두 해야 했다.

(뛰어다녀도 시원치 않을 정도로 할 일이 많은 이 시대에…… 하나님께서는 어째서 나를 이렇게 절룩거리며 다니게 하시고 또 협심증으로 느리게 걷도록 만들어 놓으셨는가?)

그 다음날 나는 소설에 쓸 자료를 구하기 위해 서점에 가야 할 일이 있었다. 다리에는 반창고를 붙인데다가 가슴이 아파서 느린 걸음으로 지하도를 걷고 있었다. 모두들 바쁘게 왕래하고 있는 사람들 틈에서 어기적거리며 걷고 있던 나는 바로 내 곁에서 속삭이듯 나지막하게 들려오는 하나님의 음성을 들었다.

"……데이트 할 때에 빨리 걷는 사람 보았느냐?"

나는 그 순간 하나님께서 아직도 나를 사랑하고 계신다는 것을 확연히 깨달았다. 하나님께서는 너무 바쁘게 다니는 내 팔을 붙잡고 나와 데이트를 하자고 말씀하셨다. 세상 일도 복잡한 일들도 다 잊어버리고 오늘은 이렇게 너와 함께 천천히 걷고 싶다고 말씀하셨던 것이다.

(그렇다! 하나님께서는 일을 시키기 위해서 사람을 창조하신 것이 아니었다. 사랑하시기 위해서 창조하신 것이었다. 사랑을 위해서 일이 필요할지언정 일이 사랑을 삼키면 안되는 것이다.)

예수께서 일하는 마르다보다 그 앞에 지켜앉아서 말씀을 듣고 있던 마리아에게 더 좋은 것을 택하였다고 말씀하신 일이 그제야 생각났다. 하나님께서 더 소중히 여기시는 것은 일이 아니라 하나님과의 '관계'였다. 하나님께서는 그 사랑하는 자를 일에 빼앗기고 싶지 않으셨던 것이다. 그날부터 나의 기도는 다시 시편 143편을 붙잡고 시작되었다.

내가 옛날을 기억하고
주의 모든 행하신 것을 묵상하며
주의 손의 행사를 생각하고
주를 향하여 손을 펴고
내 영혼이 마른 땅같이 주를 사모하나이다!

어려움이 오고 환난이 닥쳐오더라도 하나님께서 나를 사랑하시고 내가 하나님을 사랑한다는 그것만 변하지 않았다면 그것 외에 내가 더 바랄 것이 없었다. 1980년 그날의 감격적인 만남 이후로 하나님과 나 사이에 있었던 그 놀라운 사랑의 드라마들이 주마등처럼 지나갔다.

내가 눈물을 흘리며 주님께 호소할 말은 오직 '내가 주를 사모하나이다' 하고 고백하는 것밖에는 없었다. 그 분 앞에서는 어떠한 의나 공로도 감히 내세우지 못할 것이로되 오직 당신을 사랑한다는 그 고백만으로 나는 매달리는 수밖에 없었던 것이다. 내가 주님을 사랑한다고 고백하고 있을 때 그 분께서는 내게 말씀하셨다.

"네가 정말 나를 사랑한다면…… 어찌 네 가슴 아픈 것만 호소하고 나의 가슴 아픈 것은 모르고 있단 말이냐?"

하나님께서는 내게 요한계시록 8장을 다시 읽어보도록 하셨다. 그것을 읽으면서 나는 깜짝 놀라게 되었다.

첫째 천사가 나팔을 부니 피 섞인 우박과 불이 나서 땅에 쏟아지매 땅의 3분의 1이 타서 사위고 수목의 3분의 1도 타서 사위고 각종 푸른 풀도 타서 사위더라 둘째 천사가 나팔을 부니 불붙는 큰 산과 같은 것이 바다에 던지우매 바다의 3분의 1이 피가 되고 바다 가운데 생명 가진 피조물들의 3분의 1이 죽고 배들의 3분의 1이 깨어지더라 셋째 천사가 나팔을 부니 횃불같이 타는 큰 별이 하늘에서 떨어져 강들의 3분의 1과 여러 물샘에 떨어지니 이 별 이름은 쑥이라 물들의 3분의 1이 쑥이 되매 그 물들이 쓰게 됨을 인하여 많은 사람이 죽더라 넷째 천사가 나팔을 부니 해 3분의 1과 달 3분의 1과 별들의 3분의 1이 침을 받아 그 3분의 1이 어두워지니 낮 3분의 1은 비췸이 없고 밤도 그러하더라(계 8 : 7~12)

이 말씀 가운데는 3분의 1, 3분의 1, 3분의 1…… 그 '3분의 1' 이라는 말이 열두 번이나 나오고 있었다. 세 개의 관상동맥 중 그 '3분의 1' 인 하나가 막히니까 가슴이 이렇게 아픈데 하늘과 땅과 사람의 3분의 1이 모두 황폐화된다면 하나님의 가슴은 얼마나 아프시겠는가. 나는 제 가슴 아픈 것만 호소하며 하나님의 아프심을 미처 깨닫지 못했던 잘못을 뉘우치면서 기도를 드렸다.

"주께서는…… 저에게 아픔을 함께 당하자고 말씀하시는군요. 감사합니다. 주님의 아픔에 동참하게 하여 주시니 감사합니다."

핵사진을 찍는 날까지 나는 그렇게 하나님과의 사랑을 회복하는 일에 몰두했다. 정말 사랑하는 사이라면 그 사이에 있었던 어떤 섭섭했음이나 못마땅했음 같은 것도 그 사랑 속에서 다 녹아버릴 수 있으리라고 믿었기 때문이었다.

또 나는 생활을 혁신적으로 바꿔보기 위해서 우선 식단을 과감하게 바꿔버렸다. 지금까지의 체질이나 식생활에 문제가 있었다면 그것을 바꿔보는 것이 필요하다고 생각되었던 것이다. 나의 콜레스테롤 검사치는 정상이었지만 어쨌든 순환기 질환에는 콜레스테롤과 동물성 지방이 나쁘다고 하니까 일단 육식을 끊고 채식을 위주로 하면서 가끔 의사들이 권하는 대로 등푸른 생선과 두부만으로 단백질을 보충했다.

매운 것 짠 것이 나쁘다고 해서 반찬은 거의 조미를 하지 않았고 또 고혈압에는 당뇨 합병증이 가장 위험하다고 해서 단 것도 끊었다. 그러면서도 나는 또 서글픈 생각이 들었다. 예수를 믿으면서 그렇게 좋아하던 술과 담배도 다 끊었는데 이제는 풀만 먹고 살아야 한다니 한심한 생각이 들었던 것이다.

아내는 또 무엇이 나쁘고 무엇이 좋다는 정보를 끊임없이 가지고 왔다.

"여보, 혈액의 정화에는 양파가 좋대요."

양파의 효능에 대해서는 신문에도 많이 소개되고 있었기 때문에 나는 매일 눈물을 흘려가며 매운 양파를 씹어먹었다. 아내는 갑자기 그렇게 고행을 시작하는 나를 바라보며 내가 처음 술과 담배를 끊었을 때처럼 안쓰러워 보였던지 걱정스러운 표정으로 물었다.

"여보, 갑자기 너무 많은 것을 바꾸는거 아니예요?"

아내가 그렇게 물으면 나는 양파를 씹어먹느라고 눈물이 글썽해진 얼굴로 대답했다.

"아냐…… 하나님께서 나를 에덴동산의 체질로 바꾸시려는가봐."

성경에 보면 홍수 이전에는 사람이 육식을 하지 않았던 것으로 기록되어 있었다. 하나님께서 사람에게 처음 육식을 허락하신 것은 홍수가 끝난 창세기 9장 3절 이후부터였던 것이다. 그러나 어쨌든 식단을 바꾼 이후로 아내의 걱정과는 반대로 얼굴 색이 좋아지기 시작했다. 내가 보아도 신기해서 자주 거울을 들여다보았을 정도였다. 바벨론 왕실의 진미를 거부하고 채식으로 일관했던 다니엘의 이야기가 생각나고 있었다.

> 그가 그들의 말을 좇아 열흘을 시험하더니 열흘 후에 그들의 얼굴이 더욱 아름답고 살이 더욱 윤택하여 왕의 진

미를 먹는 모든 소년보다 나아 보인지라(단 1 : 14~15)

텔레비전의 광고에 나와서 시청자에게 '나 예뻐요?' 하고 묻는 여가수가 있었는데 나도 화장실에 들어가서 거울을 볼 때마다 내 얼굴이 보기 좋아지는 것 같아서 주님께 묻곤 했다.

"주님, 나 예뻐요?"

그러는 한편으로 나는 안수기도를 받았다. 나와 함께 성경을 공부하는 분들 중에는 신유의 은사를 받은 분이 있었다. 그 분은 성공회에 다니는 형제였는데 나는 그 분이 병든 사람들에게 기도와 안수를 해 주어 놀랍게도 치유되는 일들을 곁에서 많이 보아왔던 것이다. 본래 그 분은 외동 아들을 교통사고로 잃고 아픔을 당한 분인데 하나님께서 그 아픔에 대한 보상으로 그런 은사를 주셨던 것 같았다.

그러나 이제는 내가 그에게 안수를 받아야 할 차례가 된 것이었다. 비록 내게 성경을 배우고 있는 분이었지만 은사는 각각 다르다고 했으니 형제로부터 사랑의 안수를 받는데 조금도 주저할 것이 없었다. 내가 안수를 부탁하자 그는 빙그레 웃으면서 말했다.

"선생님에게 제자가 안수를 해 드려도 됩니까?"

"은사가 각각 다른데 무슨 말씀을……."

"사실은 제가 먼저 기도를 해 드리고 싶었는데 어떻게 생각하실는지 몰라서 눈치만 보고 있었지요."

그는 간절한 기도를 하면서 내 가슴에 조심스럽게 손을 얹었다. 그의 손이 가슴에 닿는 순간 나는 깜짝 놀랐다. 불덩어리처럼 뜨거운 기운이 내 가슴을 통하여 온몸으로 퍼지기 시작했던 것이다. 나는 놀라서 안수하고 있는 그 분의 손을 만져보았다. 때가 겨울이었기 때문에 그의 손은 다른 사람들과 마찬가지로 찬 손이었다.

그 분은 안수할 때마다 환자의 아픔을 같이 느끼기 때문에 자주 부탁하기가 어려웠으나 고맙게도 내가 핵사진을 찍는 날까지 꾸준하게 우리 집에 찾아와서 안수를 해 주었다. 그렇게 기도하고 안수받고 채식을 하는 동안 마침내 핵사진을 찍기로 예약된 2월 19일의 하루 전날이 되었다. 새벽기도를 하기 위해서 맞추어 두었던 자명종 소리에 깨어 일어났는데 온몸에 새로운 힘이 충만해 있는 느낌을 받았다.

기도실로 달려가 기도를 드리는데 내 입에서는 저절로 감사의 기도가 흘러나오고 있었다. 지난 여름 기도원에서 기도드릴 때에 주셨던 응답이 갑자기 머리속에서 떠올랐다.

"모든 막힌 것을 뚫어주리라"

나는 다시 시편 66편의 시로 감사의 기도를 드렸다.

우리가 불과 물을 통행하였더니
주께서 우리를 끌어내사
풍부한 곳에 들이셨나이다
내가 번제를 가지고 주의 집에 들어가서
나의 서원을 갚으리니

이는 내 입술이 발한 것이요
내 환난 때에 내 입이 말한 것이니이다……

나는 핵사진을 찍는 바로 전날에 이런 증거를 미리 주신 하나님께 감사를 드리고 이제부터 영원까지 나의 즐거움보다는 주의 기쁘심을 위하여 살겠노라고 약속을 드렸다. 그렇게 감사 속에서 하루가 지났다. 아내는 그 북새통에도 이사 준비를 해야 했다.

좁은 방안에서 자료 정리 때문에 고생하는 나를 위해서 아내는 좀더 넓은 평수의 아파트를 청약해 놓았었는데 새 아파트의 건축이 어떤 사정 때문인지 상당히 늦어지고 있었다. 그래서 아내는 그 동안이라도 우선 다른 아파트에 전세로 들어가기 위해서 계약을 했었는데 그 이사할 날짜가 바로 2월 20일이었다. 그 동안에 아내는 수술을 받고 내 문제까지 터져서 이사할 형편이 아니었지만 이미 몇달 전에 계약을 해 놓은 상태여서 이사를 강행하는 수밖에 없었던 것이다.

핵사진을 찍게 되어 있는 2월 19일 아침 나는 내 보호자가 된 아내와 함께 병원으로 갔다. 아직도 나는 아내의 걸음을 따라가기가 어려울 정도로 걷기가 힘들었지만 어쩐지 하나님께서 오늘은 무슨 일을 하실 것만 같은 예감이 들었다. 마침 담당 의사가 자리에 없어서 기다리고 있는 동안에 수련의 한 사람이 나를 불렀다.

"핵사진 찍으러 오신 분이지요?"

"그렇습니다만……"

"저…… 저희가 지금 심장병 환자의 치료경과를 연구하는 과제가 있는데 좀 협조해 주실 수 있겠습니까?"

하나님께서는 이제 나를 아주 심장병 환자의 견본으로까지 만드시려는 모양이었다.

"어떻게 하면 되는거지요?"

"몇차례 채혈만 하시면 됩니다."

"그렇게 하지요."

내가 승낙하자 그 수련의는 책상에 여러 개의 시험관을 주욱 늘어놓더니 채혈을 시작했다. 몇차례라고 하더니 그는 여러 가지 경우별로 십여 차례나 채혈을 하면서 시험관마다 일일이 표시를 해 두고 있었다.

채혈을 다 하고 나서도 한참을 기다린 후에야 담당 의사가 들어왔다. 담당 의사는 내게 핵사진 촬영 장치 옆에 설치되어 있는 트레드 밀에 올라서라고 말했다.

"트레드 밀 검사는…… 전에 받았는데요."

"핵사진을 찍기 전에는 일단 심장에 풀 로드를 걸어야 하거든요."

"알겠습니다."

나는 다시 신을 벗고 트레드 밀의 벨트 위에 올라섰다. 벨트가 움직이기 시작하고 나는 움직이는 벨트 위에서 걷기 시작했다. 의사는 내가 먼저 트레드 밀 검사를 받았던 때와 똑같은 주의를 주었다.

"가슴이 아프면 말씀하세요."

"네."

아침부터 가슴이 먹먹하여 얼마 걷지 못할 것이라고 생각을 했는데 한참을 걸었는데도 아픈 느낌은 없었다. 의사는 속도를 한 단계 올렸다.

"아프면 말씀하세요."

"네, 아직 괜찮습니다."

다시 의사가 벨트의 속도를 3단으로 올렸기 때문에 나는 거의 뛰기 시작했다.

"아프지 않습니까?"

"아직 괜찮은데요."

벨트의 속도는 다시 4단으로 올라갔다. 의사의 목소리가 좀 걱정스러워지고 있었다.

"정말 안 아파요?"

"아직 괜찮은데요."

나 자신도 이상하다고 생각하면서 껑충껑충 뛰었다. 뛰면서 그 속도에 맞추어 388장의 '영광 영광 할렐루야'를 계속해서 불렀다. 한 단계에서 3분씩 뛰기 때문에 나는 벌써 12분이 넘도록 땀을 흘려가며 뛰고 있었다.

의사는 여러 번 아프지 않느냐고 물어보더니 한참을 더 지나서야 벨트를 세웠다.

(어쩐 일이지……?)

어제부터 하나님께서 예고하시더니 마침내 이 일을 하셨던 것이다. 곁에서 걱정스러운 얼굴로 나의 뛰는 모습을 지켜보고 있던 아내가 내게로 다가오더니 내 귀에다 대고 소곤거렸다.

"하나님께서 뚫어주신 거예요!"

나는 다시 핵사진 촬영대 위로 올라가서 누웠다. 심혈관 조영술 검사를 받을 때처럼 사진 찍는데 방해가 되지 않도록 두 손을 위로 치켜든 채 촬영대 위에 누워야 했다. 항복하는 자세였던 것이다.

(다시 두 손을 들었습니다…… 주님께서 원하시는 대로 인도하여 주시기 바랍니다.)

핵사진 촬영을 끝내고 집으로 돌아오면서 아내가 이상하다는 듯이 물었다.

"웬일이죠?"

"뭔가 굉장한 일이 일어난거야. 이건 정말 엄청난 일이로군!"

집으로 돌아오는 도중에도 내 발걸음은 가벼웠다. 걷는데 아무런 지장도 없었다. 계산하기도 좋게 1월 1일부터 막혔던 관상동맥이 꼭 50일 만에 뚫린 것이다. 그러나 무엇보다도 내가 기뻤던 것은 하나님께서 나를 주목하시고 지키시고 계셨다는 것을 확인하게 된 것이었다.

저가 내 기도를 물리치지 아니하시고
그 인자하심을 내게서 거두지도 아니하셨도다
(시 66 : 20)

나는 다시 지난 여름의 기도원에서부터 시작하여 바로 전날에도 하나님께서 징조를 주신데 대한 감사의 기도를 드렸던 그 시편 66편의 12절을 입 속으로 중얼거렸다.

우리가 물과 불을 통행하였더니
주께서 우리를 끌어내사
풍부한 곳에 들이셨나이다……

그 물과 불을 통행했다는 구절에서 나는 바로 두 손을 들고 통과했던 심혈관 조영술 검사와 핵사진 촬영을 연상하고 있었다. 과연 나는 그때 물 속과 불 속을 통과하고 있었던 것이다.

집으로 돌아와 보니 이삿짐은 이미 이삿짐 센터 사람들이 와서 다 싸놓은 후였다. 우리는 그 이삿짐 더미 속에서 아이들과 함께 감사의 기도를 드리고 저녁을 먹고 그 짐들의 틈바구니에서 잠자리에 들었다. 어차피 우리의 인생은 아브라함처럼 이렇게 장막을 걷고 이삿짐을 실은 채 떠나는 나그네 인생인 것이었다. 그 나그네 길에 주님과 동행한다는 것이 얼마나 행복한 것인가를 깨달으며 나는 깊은 잠에 떨어지고 있었다.

그 다음날은 이사를 하는 날이었다. 아침에 일어나 보니 온몸이 거뜬하고 상쾌했다. 하루 종일 이삿짐을 들고 날랐는데도 몸은 가벼웠고 아무런 이상도 없었다. 참으로 있을 수 없는 일이 일어났던 것이다.

이사를 한 다음날 아내와 나는 주치의와 약속한 대로 핵사진 촬영 결과를 듣기 위해 다시 병원으로 갔다. 의사는 나를 보더니 아직 핵의학실에서 챠트가 넘어오지 않았다며 나더러 직접 가서 찾아오라는 것이었다. 핵의학실로 가서 챠트가 들어 있는 봉투를 받아가지고 오는 도중에 아내와 나는 궁금하여 우선 봉투 속의 챠트를 꺼내보았다.

여러 장의 사진이 첨부되어 있는 소견서에는 운동부하 검사 및 핵의학 검사 결과 '폴라 맵에서 관류 감소부위는 관찰되지 않았음' 이라고 기록되어 있었다. 나는 다시 그 다음에 '결론' 이라고 쓰여진 난을 들여다보았다. 결론은 영어로 적혀있었다.

"No definite perfusion abnormality"

즉 뚜렷한 심장 혈류의 이상이 없다는 뜻이었다. 나는 챠트를 도로 봉투에 넣어서 담당 의사에게 가져다가 드렸다. 의사는 챠트를 꺼내보더니 놀라는 얼굴로 나를 바라보았다. 그리고는 한참 후에야 고개를 끄떡이더니 빙그레 웃으면서 말했다.

"결과가 좋군요. 그러나 한달에 한번씩 오셔서 체크를 받는 것이 좋습니다."

"네, 알겠습니다. 그러지요."

정말 놀라운 일이었다. 그런 일이 있은 지 얼마 후에 나는 서울대 병원 기독의사회의 초청을 받아 환자가 아닌 강사의 자격으로 '장자권의 회복' 이라는 제목의 특강을 하게 되었다. 감개무량한 나는 강의를 시작하기 전에 바로 나 자신이 이 병원에서 체험한 기적을 소개하였다.

"하나님께서 이 병원에서도 일하고 계신다는 것을 저는 확인할 수 있었습니다."

강당에 모인 하얀 가운의 의사들은 모두 '아멘'으로 화답을 했다. 그런 놀라운 일이 있은 후에야 나는 비로소 성경에 하나님께서 사람의 심장을 붙잡고 계신다는 구절이 있다는 것을 알게 되었다.

시 7:9 의로우신 하나님이 사람의 심장을 감찰하시나이다

렘 11:20 사람의 심장을 감찰하시는 만군의 여호와여

렘 17:10 나 여호와는 심장을 살피며 폐부를 체험하고 각각 그 행위와 행실대로 보응하나니

렘 20:12 의인을 시험하사 그 폐부와 심장을 보시는 만군의 여호와여 나의 사정을 주께 아뢰었사온즉 주께서 그들에게 보수하심을 나로 보게 하옵소서

진작 이 구절들이 생각났으면 그것을 붙잡고 기도했을텐데 이상하게도 모든 것이 다 지나간 다음에야 한꺼번에 그 구절들이 내게로 쏟아져 들어오고 있었던 것이다.

(이상하다…… 성경을 읽을 때마다 여러 차례 지나쳤던 그 구절들이 왜 이제야 내 눈에 띄게 되었던 것일까?)

성경을 직접 손으로 적기도 하고 여러 차례 읽으며 상고하고 사람들에게 성경을 강의하기도 했던 내가 그것을 모르고 있었다는 것에 나는 또 충격을 받게 되었다. 그만큼 나의 신앙

은 이기적이어서 자신과 관계 없을 때에는 그냥 지나치고 자신에게 문제가 닥쳤을 때에도 허둥대느라고 그것을 모르다가 하나님께서 해결해 주신 후에야 그것을 깨닫게 되었던 것이다.

(그렇다! 그래서 주님을 만나야만 눈을 뜨는 것이다.)

그제서야 나는 예수께서 오실 때에 비로소 소경의 눈이 밝을 것이며 귀머거리의 귀가 열릴 것이라고 하신 이사야서 36장 5절의 말씀을 새롭게 깨달을 수 있었다.

(그렇다면…… 주님의 자녀들이 만나는 고난은 바로 예수 그리스도와의 더 좋은 만남을 위한 통로가 아닌가!)

이러한 예수 그리스도와의 더 아름다운 만남은 결국 그 분의 심장을 우리 안에 모셔들이고 그 분의 마음으로 사는 일임을 로마 옥중에서의 사도 바울은 고백하였던 것이다.

> 내가 예수 그리스도의 심장으로 너희 무리를 어떻게 사모하는지 하나님이 내 증인이시라(빌 1 : 8)

이날 이후로 나는 내 심장이 아닌 예수 그리스도의 심장으로 살아야겠다고 생각했다. 일생 동안 잠시도 멈출 수 없는 우리의 심장은 매일 9만 6천 킬로미터의 혈관에 1만 7천 리터의 혈액을 공급하기 위해 10만 회의 박동을 계속해야 하는 생명의 중심이었다. 나는 그 동안 이 심장을 자기를 위해서 뛰게 하고 자신의 연료로 달리게 하면서 살아왔던 것이다.

(주여…… 저의 심장은 당신의 것입니다. 당신의 것으로 뛰

게 하여 주십시오.)

예수 그리스도의 심장을 가지고 사는 일이 그 어떤 일보다도 중요한 일이었다. 아시시의 성 프란치스코는 말 한마디 하지 않고 시내를 한 바퀴 돌기만 해도 사람들이 감동하여 하나님께 영광을 돌렸다고 하지 않는가. 그 후로 나는 비록 성 프란치스코를 따라가지는 못하나 심장의 박동을 느낄 때마다 그것과 함께 예수 그리스도의 심장이 뛰고 계심을 들으려고 애쓴다. 심장의 소리를 들을 때마다 그 분의 말씀에 귀를 기울이는 것이다.

나를 훈계하신 여호와를 송축할지라
밤마다 내 심장이 나를 교훈하도다
(시 16 : 7)

이런 무섭고도 아름다운 체험을 주시고 나서 하나님께서는 약간의 위로가 필요하다고 느끼셨는지 그 후로는 조금씩 좋은 일들이 생기기 시작했다. 그 중의 하나가 집을 이사한 이후로 여러가지 부득이한 일들이 생겨서 교회를 옮기게 된 일이었다. 우리의 사정을 모두 알게 되신 내 모친 유은덕 권사도 우리가 교회를 옮겨가는 일에 찬성해 주셔서 우리는 편안한 마음으로 옮겨갈 수가 있었다.

우리가 옮겨간 이태원 감리교회는 아내가 위암 수술을 받을 때 늘 기도해 주시고 우리 부부의 서툰 신앙생활을 올바르게

지도해 주셨던 이희준 목사님이 시무하고 계시는 교회였다. 이 목사님은 우리가 본격적으로 신앙생활을 시작할 무렵 우리가 다니던 교회에서 떠나셨는데 10년 만에 다시 합류를 하게 된 셈이었다.

그때 막 성경을 파고들기 시작한 풋내기였던 나는 어느새 성경의 내용들을 주제로 한 16권의 책을 써내었고 이 목사님은 옮겨갈 당시 1백 명이 채 안되던 이태원교회를 1천 명이 넘는 교회로 성장시켜 놓고 계셨다.

또 이태원교회에는 평소에 내 책들을 읽고 있던 독자들이 많이 있어서 우리 부부의 이명을 반가워했고 우리 부부는 그동안 갖가지 어려움을 겪으면서 성품이 제법 순화되어 있었기 때문에 교우들의 많은 사랑을 받을 수 있었다. 또 이희준 목사님은 내가 교우들과 더 빨리 친숙해질 수 있도록 '성경과의 만남'이라는 이름으로 평신도 성경공부 시간을 맡겨주셨기 때문에 나는 매주 교우들과 성경공부를 하면서 쉽게 모든 분들과 친숙해질 수가 있었던 것이다.

또 내가 성경강좌를 시작했다는 소식이 국민일보에 소개되자 다른 교회의 교우들도 그쪽의 예배가 끝나면 달려와 참석을 해서 나는 그 시간을 통해 평소에 나를 만나고 싶어했던 독자들과도 많은 대화를 나눌 수가 있었고 또 독자들의 격려로 인해서 많은 위로를 받게 되었다.

그러는 동안에 틈틈이 써서 탈고한 〈다가오는 소리〉가 출간되었다. 아스다롯 신전의 신분 높은 여사제였던 라합이 상천하지(上天下地)의 진정한 하나님을 찾게 되었던 이야기를 소설로 쓴 〈다가오는 소리〉는 출간되자 마자 선풍을 일으켰고 특히 성경의 특수한 시각 때문에 남성 위주의 소설만 써오던 내가 여성을 주인공으로 쓴 첫번째 소설이어서 여성 독자들의 격려를 많이 받았던 것이다.

그러나 무엇보다도 92년에 내게 가장 위로가 되었던 일은 바로 연극 '건너가게 하소서'의 성공적인 공연이었다. 각본의 스케일이 워낙 커서 공연 시간이 2시간 20분이고 등장인물만도 80명이 넘었기 때문에 연예인 선교회는 각본을 받은 후로 1년이 가깝도록 준비를 하다가 92년 6월에 호암 아트홀에서 첫 막을 올렸던 것이다.

이 연극의 각본을 쓰고 있을 때 나는 나 자신이 침묵하고 계시는 하나님의 뜻을 제대로 알지 못하여 고민하고 있었기 때문에 가나안에 들여보내주지 않는 이유가 무엇이냐고 질문하며 외치는 모세의 절규는 곧 나의 절규가 되어 작품 속에서 마구 터져나왔던 것이다.

하나님과 모세 사이의 불꽃 튀는 언쟁과 그 가운데서 마침내 드러나는 뜨거운 사랑을 줄거리로 한 '건너가게 하소서'는 엄청난 반향을 불러일으켰고 표를 달라고 사정하는 사람들 때문에 입석표를 초과해서 판매해야 할 정도로 성황을 이루었다. 객석은 남녀를 불문하고 온통 눈물 바다였다. 어떤 목사님들은 이대로는 도저히 집으로 갈 수가 없다면서 곧장 기도원으로 직행하시기도 했다.

마지막 공연이 끝난 후 배우들이 관객에게 인사할 때 나도 제작자인 전계현 권사와 함께 커튼 콜에 불려나갔다. 무대에 나가서 내가 전부터 좋아했던 유명한 스타들과 함께 손을 잡고 관객에게 인사하면서 나는 쏟아지는 갈채 속에서 이런 식으로 뜻밖의 위로를 준비하신 하나님께 정말 감사를 드리지 않을 수 없었다.

그리고 이 연극의 제작과정을 지켜보면서 내가 또 놀랐던 것은 연극을 만드는 스탭과 연기진의 놀라운 믿음이었다. 제작자와 연출자는 물론이고 무대에 들어가고 나올 때마다 꿇어앉아 간절하게 기도하는 배우들을 보면서 나는 이 모든 일꾼들을 자신의 품 안에 불러모으신 하나님의 놀라운 준비에 그저 아연할 따름이었다.

그리고 나는 막간에 틈이 있을 때마다 그들과 대화를 나누는 가운데 하나님께서 그들을 부르셨던 감동적인 과정들을 본인이나 그 동료들에게서 들을 수가 있었다. 그들의 이야기를 들으면서 나는 그 놀라운 사건들을 그대로 묻어두기가 아깝다고 생각되어 언젠가는 글로 써야 하겠다고 마음 먹게 되었다. 그것이 나중에 월간 〈낮은 울타리〉에 연재하게 된 '별과 같이 비취리라'였던 것이다.

이 연극으로 모세 역의 임동진 장로는 '기독교 문화 대상'을 받았다. 연극으로 연기 생활을 시작했던 임 장로는 TV에서는 여러 차례 주연상을 탔지만 이상하게도 연극 부문의 상복이 없어서 늘 섭섭하게 생각해 왔었는데 뜻밖에도 바로 이 '건너가게 하소서'로 하나님께서 주시는 대상을 타게 되었던 것이다.

이 연극의 마지막 공연이 끝난 다음날인 7월 1일부터 나는 집에서 하던 새벽기도를 끝내고 새로 이사한 집에서 가까운 동도교회로 새벽기도를 나가기 시작했다. 새해 첫날에 심장의 관상동맥이 막혔던 때로부터 시작하여 꼭 6개월 만의 일이었다. 동도교회의 새벽기도회는 주로 젊은 부목사님들이 인도했는데 그 분들의 보수적이면서 명쾌한 성경 강해는 내가 영적인 새 힘을 얻는데 많은 도움이 되었다.

그러면서 나는 또 한가지의 공부를 시작하지 않으면 안되었다. 나는 그 동안 〈신앙계〉에 연재하던 '성경과의 만남'을 끝내고 성경대로 행하지 않는 교회들의 문제를 거론하기 위하여 '성경대로 살기'라는 글을 연재하고 있었다. 처음에는 이 글도 한 3년 연재할 생각이었는데 도중에 그것을 20회로 끝내게 되었다. 심장의 문제가 생기면서 좀 두려움도 생겼고 '그리스도의 몸'인 교회의 문제를 너무 들춰내어 상처내는 일을 더 이상 계속하고 싶지 않았던 것이다.

그래서 나는 '성경대로 살기'의 연재를 20회로 마감하고 기독교 대한 성결교회 출판부 간행의 〈활천〉(活泉)에 연재하던 '성경을 가슴에 안고'의 10회분을 합쳐서 '성경대로 살기'라는 제목의 책으로 묶어내었다. '성경을 가슴에 안고'는 내가 어떤 사연으로 성경과 가까워졌고 어떤 방법으로 성경을 읽었으며 어떻게 해서 성경을 목숨보다도 더 소중히 여기게 되었는가

하는 과정을 열 가지 테마로 나누어서 소개한 글이었다.

그러나 〈신앙계〉에서는 나의 연재가 끝나게 되자 후속 연재물을 써달라고 요청해 왔다. 나는 무엇으로 '성경과의 만남'과 '성경대로 살기'의 뒤를 이을까 하고 생각하다가 문뜩 이제는 저 4부작의 소설 〈홍수 이후〉를 읽고 질문을 해 왔던 독자들에게 답변을 해야 할 때가 왔다고 생각되었다. 소설 〈홍수 이후〉는 학교에서 가르치는 역사에 빠져있는 인류의 대분단(大分斷)사건에 관해서 쓴 것이었는데 이것을 읽고 흥미를 느낀 독자들이 그 참고 문헌이나 자료에 관해서 쓴 것이었는데 이것을 읽고 흥미를 느낀 독자들이 그 참고 문헌이나 자료에 관해서 많은 질문을 해 왔던 것이다.

나는 이 소설을 쓸 때 성경의 기록을 그 바탕으로 했고 이것을 방증하는 고대사의 자료는 사탄의 세력들이 인류의 역사를 멋대로 날조하고 왜곡하면서 미처 그들이 챙기지 못하고 흘려놓은 조각들을 주워모아 사용했으므로 일일이 그 출처를 다 소설에 밝혀놓을 수는 없었다. 그렇게 하다가는 소설이 아니라 역사책이 되어버리고 말 것이기 때문이었다.

그래서 나는 이 소설을 발표함으로서 일단 문제를 제기하면 역사학자들 중에서 누군가가 이러한 일에 흥미를 가지고 잘못된 역사를 바로잡는 일에 나설 줄로 알았다. 그러나 아직 그런 기미는 보이지 않는데 질문은 자꾸 들어오고 있어서 어쩔 수 없이 좀 미흡하더라도 내가 직접 그 질문들에 답변을 해야할 형편이었다. 그래서 나는 〈신앙계〉에 새로 연재할 칼럼의 제목을 '성경으로 여는 세계사'로 잡았던 것이다.

그러나 본격적으로 역사학이나 고고학을 전공하지도 않은 내가 이런 거창한 일을 시작한다는 것이 우선 가당치도 않은 일이었다. 비록 그것을 본격적인 연구 논문이 아닌 칼럼 형식으로 쓴다 하더라도 독자들이 궁금해 하는 최소한의 자료 출처라도 밝혀야 했고 무엇보다도 우선 홍수 이후의 고대사를 터치하려면 적어도 지금까지 발견된 문자 중에서 가장 오래된 것으로 보이는 수메르어 정도는 그 개념이라도 알아두어야 했다. 나는 다시 이 낯선 일 속으로 들어서지 않을 수 없었다.

땅끝의 십자가

금단의 열매를 먹어버린 아담과 하와로부터 시작하여 아우를 죽임으로써 최초의 살인자가 된 가인과 처음으로 두 명의 아내를 둔 라멕 등 성경은 사람이 하나님을 배반한 사례들을 줄줄이 기록하고 있다. 그러나 정식으로 사람이 하나님께 반기를 들고 대적한 사건은 창세기 10장에 기록되어 있는 니므롯의 군사혁명 사건이 그 효시가 된다.

반란 세력인 함 집안의 대표자가 된 니므롯은 셈의 성읍들을 무력으로 공격하여 점령하고 하나님께서 제정하신 장자권을 뒤엎어 버렸던 것이다. 무력으로 천하를 장악한 니므롯은 여호와 하나님에 대한 신앙을 없애버리기 위하여 필사적인 노력을 했다. 신앙의 자유를 선포하여 하나님의 절대 주권을 거부하고 거짓 신들을 만들어 내는 등 니므롯은 자신의 집권을 정당화하기 위해서 온갖 수단을 다 동원했던 것이다. 그리고 이 일을 위하여 그 배후에서 활약한 것이 최초의 장사꾼 가나안이었다.

니므롯과 가나안은 그들의 혁명 이전에 인류의 생활과 문화를 지배하고 있던 하나님의 기억을 없애버리기 위하여 지혜를 짜모았다. 결국 그들이 했던 일 중의 하나가 역대의 독재적 지배자들이 늘 그렇게 했듯이 과거의 역사를 없애버리고 '거짓의 역사'를 만들어 내는 일이었다.

> 너희는 너희 아비 마귀에게서 났으니 너희 아비의 욕심을 너희도 행하고자 하느니라 저는 처음부터 살인한 자요 진리가 그 속에 없으므로 진리에 서지 못하고 거짓을 말할 때마다 제 것으로 말하나니 이는 저가 거짓말장이요 거짓의 아비가 되었음이니라(요 8 : 44)

진실이 사라지고 세상이 온통 거짓으로 꾸며낸 역사 속에 휩쓸려 들어가고 있을 때 그런 혼란 속에서 오직 진실만을 지키기 위하여 입에서 입으로 구전되어 보존된 것이 바로 성경의 고대사였던 것이다. 그리고 그 거짓의 역사를 벗겨내어 진실의 등불을 밝히기 위한 성도들의 투쟁은 창세기로부터 지금까지도 이어져 오고 있는 것이다.

이러한 고대사의 비밀을 풀어가기 위해서는 인류 최초의 문자로 일컬어지는 수메르어로부터 시작하여 아카드어 그리고 그와 같은 계열에 속하는 앗수르어와 바벨론어를 이해해야 하는 것이 필수적이었다. 나는 어떻게 하면 이런 까마득한 고대의 기억들 속으로 헤엄쳐 들어갈 수 있을까 하고 고심하던 중 국민일보를 읽다가 반가운 기사 하나를 발견했다. 바로 한국 근동학회에서 고대 근동 언어에 대한 여름 특강을 한다는 기사였다.

나는 즉시 한국 근동학회를 찾아가서 고대 근동 언어의 독보적 존재인 장국원 박사를 만났다. 그리고 바쁜 가운데서도 틈을 내어 장 박사로부터 수메르어를 배우기 시작했다. 말할 수 없는 난관을 헤쳐가며 고대 근동 언어를 연구해 온 장 박사의 학문과 지식은 정말 내게 있어서 보물과 같은 것이었다. 그는 또 이 분야의 공부에 필요한 많은 책들을 복사해서 내게 제공해 주었다.

수메르어를 공부하면서 나는 바로 이 언어가 바벨탑 사건으로 분화되기 이전의 원초적 언어일 것이라는 심증을 얻게 되었다. 왜냐하면 세계의 언어학자들이 모두 그 수메르어를 자기네 언어의 뿌리라고 주장하고 있기 때문이었다. 수메르어에는 한국어와 일본어 등에 나오는 '토씨'가 있는가 하면 서양어의 특징인 '관계대명사'가 있었고 명사를 두번 겹쳐 써서 복수로 표현하는 남방 언어의 특징도 가지고 있었다.

수메르어를 공부하면서 내가 좀 실망했던 것은 수메르에도 바벨론처럼 사람이 만든 여러 신들이 있었다는 사실이었다. 그러나 차츰 나는 수메르가 본래 하나님을 섬기다가 그러한 거짓 신들에게 미혹되기 시작했다는 것을 그 언어의 변천과정으로부터 깨달아 알게 되었다. 즉 수메르는 이난나라는 이름으로 스며들어온 음란의 여신 아스다롯의 미혹을 받아서 안으로부터 무너지기 시작하다가 마침내 니므롯의 쿠데타를 당하고 말았던 것이다.

아스다롯은 장사꾼 가나안이 하나님을 대적하기 위하여 만들어 낸 음란의 여신이었고 이것은 바벨론의 이쉬타르와 같은 것이었다. 나중에 페니키아로 불리워진 이 가나안 족속은 이 음란의 여신에 이난나라는 이름을 붙여서 수메르로 몰고 들어가 셈의 장자들을 미혹했던 것이다. 그리고 나중에 이 아스다롯은 헬라로 들어가서 사랑의 여신 아프로디테로 그리고 로마에 가서는 베누스로 변신했던 것이다.

"수메르어…… 이것을 추리소설의 도구로 써도 되겠군."

수메르어는 그것이 지금까지 발견된 것 중에서 가장 오래된 인류 최초의 문자라는 사실 그 자체부터 벌써 소설의 소재가 되기에 충분했다. 또 그것이 감추고 있는 역사적 미스터리는 물론이고 그 문자들이 시사해 주는 수많은 암시들이 문제해결의 실마리가 될 수도 있었다. 더구나 그 분야를 연구하는 서구 학자들의 이상한 폐쇄성 같은 것들도 나와 독자들의 호기심을 끌기에 충분했던 것이다.

나는 그때 이미 브라질을 여행하면서 생각했던 '버림 받은 자들'에 관한 주제와 걸프 전쟁이 보여준 종말론적인 상황을 배경으로 해서 〈땅끝의 십자가〉라는 제목의 소설을 구상하고 있었다. 그 소설의 첫 장면은 1991년의 1월 17일 즉 걸프 전쟁이 터졌던 그날 새벽의 바그다드에서부터 시작되는데 수메르와 바벨론의 역사적 무대는 모두 그 바그다드를 수도로 하는 나라 즉 이라크의 영토 안에 있었던 것이다.

그래서 나는 〈땅끝의 십자가〉의 배경에 그 수메르어에 얽힌 고대사의 미스터리를 삽입하기로 하고 수메르어를 이용한 암호를 만들어 소설을 이끌어 나가는 도구로 사용했던 것이다. 어쨌든 나는 그래서 92년의 무더운 여름을 그 홍수 이후의 인류가 점토판에다 새겨놓은 쐐기문자들과 씨름을 하면서 보내고 있었다.

물론 이런 일들을 바쁜 직장생활 속에서 해 내는 것은 결코 쉽지가 않았다. 더군다나 나의 직장생활은 점점 그 형편이 어려워지고 있었다. 그 동안 내게 있어서 하나님 쪽의 일들은 그런대로 성공적이었으나 직장 쪽의 일들은 그렇지가 못했다. 어떻게 된 셈인지 내가 맡은 일들은 점점 더 어렵게 돌아가고 있었다.

또 그 즈음 정부는 건설 경기의 과열 때문에 인플레의 조짐이 보이자 건축허가를 억제하기 시작했는데 그에 따라 국내의 건설 경기는 급속도로 하강하고 있었다. 그 여파가 건설장비를 생산하는 회사에도 밀어닥쳤다. 그 동안 호황을 구가하며 수출 쪽은 거들떠 보지도 않던 건설장비 사업이 내리막길을 걷기 시작했던 것이다.

그러나 막상 다시 수출을 시작하려 해도 이미 해외에서 출하와 품질 양쪽의 신용을 다 잃어버린 뒤여서 그것을 만회하기란 쉬운 일이 아니었다. 게다가 내가 예측했던 대로 수입이 개방되면서 해외 장비들이 싼 값으로 쏟아져 들어와 국내 시장에서도 국제 경쟁을 해야 하는데 체질개선을 해 놓지 않은 국산 장비가 경쟁력이 있을 턱이 없었다.

(그렇게 한치 앞도 못 보고 수출을 등한히 하더니 꼴 좋군…….)

그러나 내 담당이 아니라고 그런 식으로 고소하게만 생각하고 있을 문제가 아니었다. 회사의 가장 큰 수입원이었던 건설장비 사업이 식어버리자 당장 회사의 자금 사정에 주름이 오기 시작했다. 그렇게 되면 또 원가 절감이니 경영 합리화니 해서 죽어나는 것은 종업원뿐이었다. 그러다 보니 호경기 때에는 적자가 나도 모른 척하던 항공사업 쪽에도 곱지 않은 눈길이 쏟아지기 시작했다.

인공위성 프로젝트도 실패하고 항공부품의 수주는 아예 메말라 버렸고 적당한 신규사업도 없어서 영업을 담당하고 있는 임원의 자리는 그야말로 바늘방석이었다. 항공사업이라는 것이나 혼자 열심히 한다고 해서 잘되는 것도 아니었지만 스트레스가 너무 커지다 보니 나는 다시 아내와 직장문제에 대해서 의논을 하지 않을 수 없었다.

"여보…… 현장감 있는 소설을 쓰겠다고 직장생활을 계속해 왔지만 이제는 너무 무리인 것 같아."

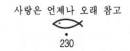

그것은 사실이었다. 경기가 내려가면 내려갈수록 기업은 생존을 위해 발버둥 치느라고 더 바빠지게 마련이었다. 툭하면 비상대책 회의이고 합숙 세미나가 아니면 재교육이다 뭐다 해서 사람들을 더욱 조여대는 것이 기업의 생리였다. 그런 가운데서 수메르어를 공부하고 소설을 쓰고 또 간증 집회까지 나간다는 것은 거의 불가능한 상태가 되었던 것이다.

"그러나 지금까지는……."

아내는 내가 또 마음 약한 소리를 하는구나 싶어서 제동을 걸었다. 지금까지는 직장생활을 해 왔기 때문에 그 체험과 거기서 얻은 정보들로 더 좋은 작품들을 써오지 않았느냐 하는 것이었다. 즉 아내는 직장생활을 계속하는 것이 하나님의 뜻이라고 몰아가려는 것이었다. 나는 아내가 겁을 좀 먹게 하기 위해서 내 건강의 문제를 들먹였다.

"하나님께서 내 심장의 관상동맥을 50일 동안 막아놓으셨던 것은 아무래도 뭔가…… 경고의 뜻이 있다고 봐야 하지 않을까? 안 그래도 예수님이 곧 재림하신다고 말하는 사람들도 있는데 언제까지나 이렇게 직장 일에만 시간을 보내고 있을 것인지……."

그것은 곧 그해 10월 28일에 예수께서 재림하시고 세상에는 종말이 온다고 선전하는 사람들에 대한 이야기였다. 그들은 이제 국내뿐 아니라 해외에 나가서까지 그런 선전을 하고 다니기 때문에 큰 소동을 일으키고 있었다. 그들은 아예 직장이고 뭐고 다 그만두고 곧 종말이 온다는 자기네 주장을 선전하는 일에만 몰두하고 있었던 것이다.

"이미 그들은 이단으로 규정이 되었잖아요? 그리고 당신도 뭐랬어요? 내일 종말이 오더라도 사과나무를 심어야 한다고 했지요?"

"그러니까 내 말은…… 다 때려치운다는 말이 아니라 이제는 인세만 가지고도 생활은 될 정도니까 하나님의 일에 더 시간을 써야 할 것 같다는 얘기야."

그러나 아내는 눈도 깜빡하지 않고 말했다.

"당신이 지난번 성경공부 할 때에 했던 이야기 기억 나요? 성경에 보면 들림 받는 사람들은 밭에서 일하다가 또는 맷돌을 갈다가…… 모두 일하는 현장에서 들림 받았으니 직장을 버리면 안된다고 했지요?"

아내는 나를 설득하는데 내 말을 이용하고 있었으나 그 주장은 역시 전과 똑같은 것이었다. 아파트 부금을 어느 정도 다 부은 후에 그리고 큰딸이 대학을 졸업해서 시집이라도 간 후에 사직을 하라는 것이었다. 그렇게 말해 놓고 나서 아내는 좀 안됐다는 느낌이 들었는지 내 건강에 대해서도 한마디 했다.

"스트레스가 건강에 안 좋다고 하는데 아무 걱정도 하지 말고 하나님께 다 맡겨버려요. 간증 집회에 나가는 권사님이라면 믿음이 적어도 그 정도는 되어야지……."

그렇게 되니 답답한 것은 나뿐이었다. 하나님께 다 맡기라고는 하지만 그렇다고 해서 각박하게 돌아가는 회사 안에서 스트레스를 전혀 안 받으며 살 수는 없는 것이었다. 어쨌든 나는 그 어려운 사정 속에서도 소설 〈땅끝의 십자가〉를 쓰기 시작했다. 그러나 거의 매일 퇴근 시간이 늦어져서 소설은 좀처럼 진행되지 않고 있었다.

(협심증에서는 일단 풀려났지만…… 나는 아직도 물고기 뱃속에 있는 것일까?)

시한부 종말론을 주장하는 사람들이 짚은 날짜가 틀렸다고 하더라도 지구의 여러가지 종말적인 상황으로만 보아 마지막 때는 가까운 것 같은데 나는 오도가도 못하는 막다른 골목에 갇혀있었던 것이다. 시한부 종말론자들의 말처럼 정말 이제는 때가 다 되었기 때문에 하나님께서 나를 아무 일도 못하게 붙들어 매어놓으신 것 같기도 했다.

(이러다가 정말…… 10월 28일에 예수님이 오시는거 아냐?)

그러나 그 떠들썩하던 날은 아무 일 없이 지나가 버렸다. 그리고 내게는 아직도 하나님께서 88년부터 출제하신 저 요나의 수수께끼가 풀리지 않은 채로 남아있었던 것이다. 이제는 누구한테 물어보고 자문을 받고 할 것도 없었다. 그저 내가 너무 잘 아는 척했던 것을 사죄하고 하나님께 묻는 수밖에 없었던 것이다.

> 무지한 말로 이치를 가리우는 자가 누구니이까 내가 스스로 깨달을 수 없는 일을 말하였고 스스로 알 수 없고 헤아리기 어려운 일을 말하였나이다 내가 말하겠사오니 주여 들으시고 내가 주께 묻겠사오니 주여 내게 알게 하옵소서(욥 42 : 3~4)

주님께서 하시는 일의 그 넓이와 길이와 높이와 깊이를 인생이 알면 얼마나 알 수 있을 것인가. 나는 나름대로 하나님께 성심을 다하여 질문하였으니 그 응답을 기다리는 수밖에 없었던 것이다. 그러나 새벽기도 시간마다 내가 하나님께 답답한 심경으로 질문하면 하나님께서는 그때마다 편안한 답변만을 주시는 것이었다.

"내가 다 해결할 터이니 너는 기다려라."

그것은 바로 저 이스라엘 백성들이 애굽에서 탈출할 때에 뒤에서는 애굽 군대가 추격해 오고 앞에는 홍해가 가로막혀 있는 절박한 상황에서 모세가 당황하고 있는 백성들에게 했던 말과 같은 것이었다.

여호와께서 너희를 위하여 싸우시리니 너희는 가만히 있을지니라(출 14 : 14)

과연 사랑은 오래 참는 것이라고 하더니 그 참는다는 것은 정말 쉬운 일이 아니었다. 성경에 인내라는 말이 왜 그렇게 많이 나오나 했더니 이제야 그 인내라는 말의 뜻이 실감나게 되었다.

다만 이뿐 아니라 우리가 환난 중에도 즐거워하나니 이는 환난은 인내를, 인내는 연단을, 연단은 소망을 이루는 줄 앎이로다(롬 5 : 3)

너희에게 인내가 필요함은 너희가 하나님의 뜻을 행한 후에 약속을 받기 위함이라(히 10 : 36)

내 형제들아 너희가 여러가지 시험을 만나거든 온전히 기

뻐게 여기라 이는 너희 믿음의 시련이 인내를 만들어 내는 줄 너희가 앎이라(약 1 : 2~3)
인내를 온전히 이루라 이는 너희로 온전하고 구비하여 조금도 부족함이 없게 하려 함이라(약 1 : 4)
주께서 너희 마음을 인도하여 하나님의 사랑과 그리스도의 인내에 들어가게 하시기를 원하노라(살후 3 : 5)

그러나 정말 만물의 마지막이 가까웠다면(벧전 4 : 7) 열심히 일만 해도 부족한 시대에 이렇듯 세상 일에 매달려서 시간을 보내는 것이 너무 안타깝지 않을 수 없었다. 그렇게 안타까운 마음으로 지내고 있던 11월 25일 새벽에 나는 또 한번 마치 한 편의 영화를 보는 것처럼 선명한 꿈을 꾸었다.

……화면에는 아주 넓은 터에 자리 잡은 큰 저택이 보였다. 집 앞의 정원에는 아름다운 꽃들과 정원수가 아름답게 배치되어 있었고 그 한쪽에는 커다란 우리가 있어서 각종 짐승과 새들과 많은 동물들이 살고 있었다. 그런데 갑자기 그 저택과 정원과 짐승들의 우리에 하얀 모랫가루가 쏟아져 내려서 쌓이기 시작했다. 우리 안에 있던 동물들의 몸에도 그 모랫가루가 덮이더니 이윽고 그 모든 것들은 돌로 변하기 시작하는 것이었다.

모랫가루를 뒤집어 쓴 채로 돌이 되어가는 살쾡이 너구리, 악어 등이 아직 조금씩 꿈틀거리고 있는 가운데 역시 하얀 모랫가루를 잔뜩 뒤집어 쓴 수탉이 긴 울음을 울고 있었다. 그때까지 정원 밖에 서 있던 잘생긴 소년 하나가 저택 안으로 뛰어 들어가더니 한 예쁜 소녀를 데리고 나왔다. 그들이 밖으로 나왔을 때 집 밖에는 흰 옷으로 몸을 감은 노인 한 분이 서 계셨고 그 곁에는 지팡이를 든 사람이 서 있었다.

이윽고 노인은 돌아서서 걷기 시작했다. 지팡이를 든 사람도 그 뒤를 따랐고 소년과 소녀도 그 뒤를 따라서 걷기 시작했다. 하얀 가루를 뒤집어 쓴 채로 돌이 되어가는 그 저택을 뒤로 하고 그들은 나그네와 같은 모습으로 천천히 높다란 언덕을 넘어가고 있었다. 그들의 모습 너머로 보이는 하늘은 매우 높고 푸르렀다.

높은 언덕을 넘어서 하늘 속으로 걸어들어가는 그들의 뒷모습이 내가 꿈속에서 본 영화의 라스트 신이었다. 새벽기도 시간에 맞춰두었던 자명종 소리를 듣고 꿈에서 깬 후에도 나는 매우 계시적인 영화를 본 것 같아서 한참 동안 어둠 속을 응시하고 있었다.

그 기품 있게 보이던 노인과 지팡이를 든 사람과 그리고 그 잘생긴 소년은 바로 삼위일체의 하나님을 뜻하는 것 같았다. 그렇다면 어린 소녀는 바로 화석이 되어가는 세상에서 구출된 성도였고 모든 것이 화석으로 되어버리는 그 영화의 마지막 장면은 역사의 마감 시간이 다가오고 있다는 뜻인 것 같기도 했다.

그날 새벽기도회의 설교는 시편 37편을 배경으로 한 '성도를 보호하시는 하나님'에 관한 것이었다. 성도를 보호하시는 하나님은(시 37 : 28) '여호와를 의뢰하는 자'(시 37 : 3)를 보호하시고 '여호와를 기뻐하는 자'(시 37 : 4)를 보호하시며 '여호와께 맡기는 자'(시 37 : 5)를 보호하신다는 것이었다. 설교는 37편 7절 이하의 말씀으로 결론을 맺고 있었다.

여호와 앞에 잠잠하고 참아 기다리라
자기 길이 형통하며 악한 꾀를 이루는 자를 인하여
불평하여 말지어다
분을 그치고 노를 버리라
불평하여 말라 행악에 치우칠 뿐이라
대저 행악하는 자는 끊어질 것이나
여호와를 기대하는 자는 땅을 차지하리로다
잠시 후에 악인이 없어지리니
네가 그곳을 자세히 살필지라도 없으리로다
(시 37 : 7~10)

(네가 그곳을 자세히 살필지라도 없으리로다……!)

바로 내가 꾸었던 그 꿈과 일치하는 말씀이었다. 성경은 자기의 길에 형통하는 악인들 때문에 불평하지 말라고 권면했다. 그들은 모두 다 없어지리라는 것이었다. 그리고 이번에도 하나님께서는 참고 기다리라는 말씀을 주셨던 것이다.

"여호와 앞에 잠잠하고 참아 기다리라!"

나는 다시 하나님 앞에 고개를 숙이는 수밖에 없었다.

"잘 알겠습니다. 주신 말씀대로 참고 기다리겠습니다."

그렇게 참고 기다리는 답답함 속에서 92년이 거의 다 저물어가고 있을 때에 하나님께서는 내 숨통을 좀 터주시려고 생각하셨는지 연말의 보너스를 준비해 놓고 계셨다. 누나의 뒤를 이어서 재수를 하고 있던 아들 예훈이가 연세대 화공과에 합격을 했던 것이다. 아들은 떨리는 손으로 신문사에 전화를 걸더니 펄쩍 뛰면서 소리를 질렀다.

"합격이래요!"

커트 라인이 상당히 올라갔다고 해서 걱정을 하고 있었는데 믿기지가 않아서 내가 다시 전화를 걸었다.

"여보세요, 300009번인데요."

"두번째 거셨군요. 김예훈 씨, 축하합니다."

참으로 그것은 큰 보너스였다. 우리는 모두 둘러앉아 감사의 기도를 드렸고 아들은 눈물을 글썽거렸다. 나는 사실 큰딸 예나가 연세대에서 낙방한 이후로는 그 학교가 꼴도 보기 싫어서 어쩌다 차를 몰고 그 앞으로 지나가야 할 일이 있으면 아예 돌아서 가거나 외면을 하고 다녔었다. 그런데 이번에는 아들이 그 학교에 합격을 하고 나니까 그 학교가 그렇게 정다워 보일 수가 없었다. 지나갈 때마다 한번씩 더 바라보며 저것이 바로 언더우드 목사님이 설립한 하나님의 학교지 하면서 미소하게 되었던 것이다.

참으로 하나님께서는 한번 섭섭한 일을 주시면 반드시 그 몇배나 되는 기쁨으로 갚으신다는 것을 나는 실감했다. 우리가 안타깝게 부르짖고 있을 때 하나님께서는 조금도 서두르지 않으시며 그 중의 하나라도 빠뜨리지 않으시고 하나도 흐트러짐이 없이 처음부터 계획하신 대로 차근차근 풀어주신다는 것을 나는 깨달았다.

이렇게 우리의 기도를 하나도 잊지 않으시고 응답해 주시는 하나님을 신뢰하며 살아야 하는데도 우리는 세상에서 부딪히는 일들이 너무 급하고 답답하여 발을 구르는 것이다. 두 아이가 번갈아가며 재수를 할 때에는 그저 한숨과 눈물로 기도만 했는데 이렇게 하나는 서울대 하나는 연세대에 들어가고 보니 결과적으로는 주위의 친구들로부터 하루 아침에 부러움의 대상이 되어버린 것이다.

나는 그해에도 회사의 승진에 빠졌지만 아들이 합격한 기쁨 때문에 아무렇지도 않게 넘길 수가 있었다. 워낙 업무 실적도 좋지 않았고 회사 자체도 엄청난 적자를 냈기 때문에 기대도 하지 않았던 것이다. 나의 승진을 걱정하며 미국에 가는 것을 만류했던 사장은 결국 나를 승진도 시켜주지 못하고 회사를 떠났다.

내가 그런 일에 동요하지 않았듯이 나와 하나님 사이의 대화도 더욱 깊어갔다. 나는 이제 미국으로 가든 서울에 있든 주님과 함께 있는 것이 곧 순종이라는 것을 깨닫게 되었다. 예수 그리스도와 그 십자가에 못 박히신 것 외에는 아무 것도 알지 아니하기로 작정했다고(고전 2 : 2) 하던 사도 바울의 말을 나는 지지했다. 하나님께서는 다시 시편의 말씀으로 나를 위로하시는 것이었다.

저가 나를 사랑한즉 내가 저를 건지리라
저가 내 이름을 안즉 내가 저를 높이리라
(시 91 : 14)

회사에 새로 부임한 사장은 침체된 회사에 활력을 불어넣기 위하여 여러가지로 애를 쓰고 있었다. 그는 항공 사업의 현황을 다 듣고 나서 군수용이든 민수용이든 국토가 좁은 한국에서 단독으로 항공 사업을 한다는 것은 불가능하다고 판단했다. 그래서 내게는 아시아 각국과 항공 사업의 협력을 모색해 보라는 지시가 떨어졌다.

나는 그 협력 대상국가 중에서 우선 일본을 제외했다. 일본은 장차 한국이 가장 강력한 경쟁국가가 될 것으로 보고 특히 항공 분야에서는 철저하게 협력을 거부하고 있었던 것이다. 나는 곧 중국과 인도 그리고 동남아 각국의 항공 산업 현황을 파악하고 그 협력 의사를 타진하기 위하여 출장 길에 올랐다.

중국에서는 베이징(北京)을 비롯하여 시안(西安), 센양(審陽), 하얼빈(合爾濱) 등 〈땅끝의 시계탑〉의 주인공 윤종혁이 거쳐갔던 지역을 뒤따라가며 중국의 항공지 공장들을 돌아보았다. 마침 군수용 항공기를 더 이상 많이 만들 필요가 없어진 중국의 항공 산업 관계자들은 항공뿐만 아니라 다른 응용사업 분야에서도 한국과의 협력을 강력하게 원하고 있어서 이야기가 순조롭게 풀려나갔다.

개방이 시작된 중국 전토는 어디를 가나 경제 성장에 대한 꿈과 의욕에 들떠있었다. 혁명의 뒷전에서 움츠리고 있다가 개방의 물결을 타고 밀려나온 중국의 상인기질이 가는 곳마다 활기를 띠고 있었다. 운송 시설이 낙후한 중국은 당장 급한 불을 끄기 위해 엄청난 여객기를 필요로 하고 있어서 우리의 협력 제의는 대환영을 받았다.

그들에게서 폭발적인 성장의 가능성을 보며 한편으로는 무서운 생각도 들었다. 중국의 경제 성장이 지금처럼 순조롭게 진행되어 10억의 인구가 모두 자동차를 사게 된다면 어떻게 될 것인가. 전세계는 탄산가스와 아황산가스로 뒤덮이고 세계의 석유는 순식간에 바닥이 나게 될 것이었다. 그래서 중국이 역사의 블랙 홀이 될는지도 모른다는 생각이 들었던 것이다.

인도의 경우에도 항공 산업의 분야에서는 소련 비행기를 가져다가 조립도 하고 인공 위성을 띄울 정도로 꽤 발전되어 있어서 충분히 협력할 수 있는 가능성이 보였다. 국토가 넓어서 여객기의 수요도 많았다. 그러나 인도의 문제는 일반 국민의 생활 수준이었다. 인도는 한마디로 해서 거지의 나라라고 해도 과언이 아니었다.

힌두교의 본고장인 인도에서 나는 환생설과 윤회설이 분명히 사탄의 교리이고 그것이 얼마나 사악한 것인가를 눈으로 직접 확인할 수 있었다. 인도의 8억5천 인구는 일부의 지배계급을 빼고는 거의 모두가 거지나 다름없는 생활을 하고 있었다. 정부의 관리들까지도 인구가 많아서 1인당 GNP가 올라가지 않는다고 투덜거렸다. 한 8억쯤은 죽어주었으면 좋겠다는 말투로 들렸다. 그러나 그 8억은 아무런 불평도 없이 목숨을 이어가고 있었다.

"전생에 죄가 많아서……."

그것이 바로 그들 모두가 가난에 승복하고 있는 이유였다. 또 그들은 현실을 개선해 보려는 노력도 하지 않고 있었다.

"불평 없이 살면 내세에는 더 나아질는지도 모르니까."

사탄은 그 사악한 환생설로 거대한 거지의 나라를 만들어 놓고서도 아무런 책임도 지지 않았다. 인도의 고행자들이 제 살을 송곳으로 찌르고 숯불 위로 걸어가도 그들의 신은 저 갈멜산에서 바알의 사제들이 제 몸을 칼과 창으로 찔렀을 때처럼 아무 응답도 없었다(왕상 18 : 28~29).

하나님은 사람을 창조하실 때 제 몸을 칼로 찌르라고 하지도 숯불 위로 걸어가라고 하지도 않으셨다. 수많은 인도의 고행자들이 그 몸을 찌르고 숯불 위로 걸어갔어도 인도는 거지의 나라로 남았다. 그래서 저 테레사 수녀 같은 사람이나 들어가서 영적으로 육체적으로 죽어가는 인도 사람들을 부둥켜 안은 채 눈물을 흘리고 있었던 것이다.

그런데도 지금 사탄의 세력은 다시 저 가나안 음모의 한 줄기인 힌두교를 이용하여 전세계를 인도처럼 만들려 하고 있다.

힌두교의 신비주의를 기반으로 하여 사랑과 평화의 구호를 내걸고 '뉴 에이지' 운동을 벌이고 또 그들의 범신론을 이용하여 모든 민족의 민속 신들을 부활시킴으로써 하나님을 대적하게 만들고 있는 것이다. 그렇게 해서 지구가 장차 어떻게 될 것이냐 하는 것은 인도에 가보면 안다. 전세계는 마침내 인도와 같은 거지의 소굴이 되고 말 것이기 때문이다.

또 나는 항공 산업의 협력을 타진하기 위해서 떠났던 그 출장에서 짙어오는 아마겟돈 전쟁의 그림자를 읽을 수 있었다. 중국의 항공 산업을 주도하고 있는 관리들은 아시아 국가간의 항공 협력에 대해서는 대찬성이었다. 그러나 그들도 역시 내 의견대로 일본을 제외시키기를 원했다. 일본은 이미 미국과 한패가 되어 아시아 경제를 장악하려고 하기 때문이었다.

이미 개방 이후에 13%가 넘는 경제 성장으로 2천 년이 되면 미국의 GNP를 능가할 것으로 예측되는 중국은 아시아의 번영을 결코 남의 손에 넘기지 않겠다는 의지를 보이고 있었다. 이를 뒷받침하듯 하버드 대학의 새무얼 헌팅턴 교수는 〈포린 어페어즈〉지의 93년 여름호에 '문명의 충돌'이라는 논문을 실어 동서양의 충돌이 일어날 것을 예고했다.

그리고 바로 그 후에 우려할 만한 사건이 일어났던 것이다. 바로 그것이 중국의 10억 인민 전체가 심혈을 기울여 추진해오던 '베이징 2000' 프로젝트의 좌절이었다. 내가 중국에 출장갔을 때 중국 대륙 전체는 바로 이 2000년의 올림픽 대회를 유치하기 위한 구호로 뒤덮여 있었다. 그것은 참으로 10억 중국인들의 간절한 꿈이었고 대망의 21세기로 넘어가는 중국 정부의 야심찬 계획이기도 했던 것이다.

그러나 그 꿈이 다 이루어져 가는 마당에 깨어져 버렸다. 미국과 영국이 뒤늦게 중국의 인권문제를 들고 나오는 바람에 국제 올림픽 위원회의 개최지 선정은 막판에 가서 대세가 뒤집히고 2000년의 올림픽 개최지는 호주의 시드니로 결정나 버렸던 것이다. 이것은 너무 충격적인 일이어서 당시 나는 중국의 고위 관리들에게 아무런 위로의 말도 꺼내지 못했다.

그러나 정작 매사에 대범한 중국의 관리들이 이 문제에 대해서 단 한마디도 하지 않는 것을 보고 나는 소름이 끼쳤다. 관리들뿐만 아니라 중국의 10억 인구 전체가 침묵하고 있었다. 그러나 나는 결코 그들이 이 일을 잊지 않을 것이라는 생각이 들었다. 그리고 내 뇌리에는 저 요한계시록에 나오는 아마겟돈 전쟁이 다시 떠오르고 있었다.

> 또 여섯째가 그 대접을 큰 강 유브라데에 쏟으매 강물이 말라서 동방에서 오는 왕들의 길이 예비되더라(계 16 : 12)

어쨌든 내가 추진하던 항공 산업의 국제협력 문제는 중국측의 대찬성으로 인하여 순조롭게 추진이 되었다. 한국과 중국 그리고 인도와 싱가폴이 국제합작회사를 만들어서 국제적으로 명성이 있는 여객기의 기종을 기술도입 형식으로 제작하고 장차 아시아 고유의 모델도 개발하자는 것이었다. 그리고 얼마 안되어서 중국과 인도는 의향서에 서명을 했다.

그해 5월의 어느 날 나는 또 한번 무서운 일을 체험했다. 내 책상 앞으로 배달되어온 한 장의 메모를 받아들고 나는 온 몸을 떨고 있었다. 전에 회사에 재직했던 한 임원이 암으로 별세했다는 소식이었다. 바로 12년 전에 나를 인천으로 내려가게 했고 계속해서 나를 비정하게 몰아붙였던 바로 그 사람이 세상을 떠났다는 것이었다.

(주여…… 이렇게까지…….)

나는 한참 동안 정신이 아득하여 눈을 감고 있었다. 한참 동안 떨리는 가슴을 진정하고 있던 나는 봉투에 부의금을 넣어 가지고 그의 빈소를 향해서 차를 몰았다.

(주여…… 제가 그날 하나님께 부르짖었을 때 더 이상 버티기가 힘드니 도와달라고 말씀드렸지 이렇게 해 달라고는 안했잖습니까? 저는 그래도 그의 구원을 위해서 하나님께 기도드렸지 않습니까?)

나는 그의 빈소 앞에서 무릎을 꿇었다. 카세트 녹음기에서는 어쩐 일인지 찬송가 소리가 울려나오고 있었다.

(주여…… 외로운 그의 영혼을 받아주시고 그가 남긴 유족을 돌보아 주시옵소서.)

쓸쓸한 그의 빈소에는 고인의 어린 두 아들이 자리를 지키고 있었다.

"아버님께서 교회를 나가셨던가?"

"최근에는 병 때문에 기도원에도 다니시고 열심히 믿으셨어요.”

나는 그의 아들들에게 용기를 잃지 말고 예수님을 잘 믿으라고 격려해 준 다음 떨리는 걸음으로 빈소를 빠져나왔다.

(불쌍한 사람…… 당신과 나는 이 무슨 딱한 관계란 말인가?)

그러는 동안 그해의 8월에는 ‘건너가게 하소서’의 앵콜 공연이 서울의 국립극장에서 있었다. 이 연극은 이미 석달 전에 대구의 시민회관에서 공연될 때 그 공연에서 모세 역의 임동진 장로가 기적을 체험한 일이 일어나서 더욱 유명해지고 있었다. 그것은 바로 공연을 앞둔 임 장로의 부상 때문에 비롯된 것이었다.

대구 공연이 결정되어 이미 시민회관의 임대를 계약해 놓고 있을 때 임동진 장로는 TV 드라마 ‘백색미로’의 촬영차 유럽에 나갔다가 발목이 부러져서 돌아왔던 것이다. 그러나 주연으로서 책임을 느낀 임 장로는 발목에 기브스를 하고 목발을 짚은 채로 연습에 임했고 의사의 만류를 뿌리친 채 그 상태로 대구 공연을 했다. 개막 전에는 제작자가 무대에 나가 사정을 미리 알린 다음 목발을 짚은 모세가 등장했던 것이다.

그러나 목발 짚은 모세가 열연한 ‘건너가게 하소서’의 대구 공연은 그야말로 감동의 도가니였다. 그리고 모세가 무대에서 나올 때마다 TV 연기자 신우회장인 정영숙 집사를 비롯하여 모든 출연자들은 그의 발목을 붙잡고 간절히 기도했다. 그리고 기적은 공연이 끝나고 임 장로가 병원에 갔을 때 일어났다. 걱정을 하며 X레이 사진을 찍어본 의사가 외마디 소리를 질렀다.

"이게 도대체 어떻게 된거요!"

의사는 대구에 가기 전에 찍었던 사진과 다녀온 후에 찍은 사진을 함께 들고 있었다. 가기 전에 찍었던 사진에 나타나 있는 발목의 검은 선이 다녀온 후의 사진에는 보이지를 않고 있었다. 부러졌던 임동진 장로의 발목이 말끔이 붙어있었던 것이다. 나중에 임 장로는 나와 만나서 식사를 하며 이 일을 이야기할 때에 눈물을 글썽거렸다.

"하나님께서 저에게 이런 체험을 주실 줄은 정말 몰랐습니다."

서울에서의 앵콜 공연은 국립극장에서 4일간 8회 공연을 했는데 매회 1천5백 석의 입장권이 다 팔리고도 모자라서 입석표를 팔았고 관객이 좌석 사이의 통로에까지 입추의 여지 없이 들어찬 가운데서 8회 공연을 했다. 제작자 전계현 권사는 모든 스탭과 연기자들 그리고 극장 관계자에게 '만원'이 든 봉투를 돌렸다. '만원'(滿員)이 되었을 때에 그렇게 하는 것이 일제시대 때부터의 관행이라는 것이었다. 국립극장장은 봉투를 받고서 극장이 생긴 이래로 처음 있는 일이라고 신기해 했다.

나는 극장의 현관에서 몰려드는 팬들에게 사인을 해 주느라고 바빴다. 작자가 사인을 해 준다니까 쌓여있던 팜프렛이 금방 동이 났다. 관객들은 이 연극이 기독교 문화의 진수를 보여주었으며 발전의 토대를 마련한 작품이라고 입을 모았다.

그해에 장로 대통령을 배출한 충현 교회의 신성종 목사님은 이 작품을 한국이 새 시대로 들어서고 있음을 상징하는 계시적인 작품이라고 극찬했고 그 외에도 한국 교회의 많은 지도급 목회자들이 와서 연극을 보고는 칭찬과 격려를 아끼지 않았다. 이 연극을 연출했던 문고헌 집사도 나중에 고개를 흔들며 이렇게 고백했다.

"이것은 하나님께서 하신 일입니다. 이건 사람이 한 일이 아니예요."

문고헌 집사의 그 말은 바로 이 연극에 참여했던 모든 사람들의 고백이기도 했다. 적어도 1만 3천여 명이 관람한 이 연극의 공연 수익금은 나중에 농어촌 미자립교회를 돕기 위한 선교기금으로 국민일보에 전달되었다.

그러나 이때로부터 내게는 많은 사람들이 이제 직장생활을 그만두고 집필에 전념하라는 권고를 노골적으로 해 왔다. 국민일보 출판국의 문영진 과장은 아주 솔직하게 그런 말을 하고 있었다.

"지금 때가 어느 때인데 직장에서 시간을 다 보내고 계십니까?"

그러나 내가 그런 이야기를 아내에게 해 주면 아내는 당장 알레르기 반응을 보이는 것이었다.

"그게 다 자기 얘기가 아니니까 편한 대로 말하는 거라구요."

그러나 사실 글 쓰는 시간을 내기 어려운 문제 때문에 나는 점점 더 하나님께 죄스러운 생각이 들고 있었다. '건너가게 하소서' 때문에 알게 된 연극인들만 하더라도 제가끔 내게 각본을 써달라고 부탁해 왔지만 나는 시간이 없어서 하나도 응하지를 못하고 있었다. 그들이 관계하는 선교단체의 공연을 위해서도 각본이 필요했고 또 개인적으로 각 교회의 초청을 받아서 갈 때에도 혼자나 둘이서 할 수 있는 각본이 필요하다는 것이다.

뿐만 아니라 이제는 출판사 쪽으로도 자주 독자들로부터 전화가 걸려오고 있었다.

"김성일 씨 그 분 요새 소설 안 써요?"

그럴만도 한 것이 나는 회사 일 때문에 시간을 내지 못해서 이미 지난해에 시작한 〈땅끝의 십자가〉도 1년이 넘도록 끝을 내지 못하고 있었던 것이다. 사실 지난 10년 간 직장생활을 하면서 16권의 책을 쓴 것은 정말 기적과 같은 일이었다. 그런데 이제 그 기적이 더 이상 지속되기는 어려운 것 같았다.

얼마 후 국민일보 기자와 함께 일부러 나를 만나러 왔던 순복음교회의 이계자 전도사는 또 나에게 같은 질문을 했다.

"언제까지 직장생활에 시간을 뺏기며 사실 건가요?"

그 분의 표정은 매우 진지했다. 하나님은 아브라함에게 모든 친척을 떠나서 가나안 땅으로 가라고 했는데 고독이 두려워서 조카 롯을 데리고 갔다. 하나님께서는 아브라함에게 아들을 주시지 않다가 나중에 그가 롯과 헤어진 다음에야 이삭을 주셨다고 그 분은 말했다.

나는 나름대로 직장생활을 계속하고 있는 이유와 그것이 작품을 쓰는데도 필요하다는 것을 설명했지만 이 전도사는 나중에 나와 작별하면서 로마서 12장 2절의 말씀을 깊이 생각해 보라고 권면했다.

하나님의 선하시고 기뻐하시고 온전하신 뜻이 무엇인가 분별하도록 하라(롬 12 : 2)

사실 생각해 보면 이 문제 역시 하나님께서 88년도에 내게 주셨던 그 어려운 문제와도 연결되는 것이었다. 내가 그때 회사 일이 아니었다면 아무런 문제도 없이 기독교 방송국 사람들과 미국 여행에 나설 수 있었을 것이기 때문이었다. 나는 계속해서 아내와 이 문제를 놓고 토론하면서 하나님께 기도했다.

"주여…… 무엇보다도 주님께서 정해 놓으신 시간에 제가 결코 늦지 않도록 인도하여 주시옵소서."

내가 그렇게 기도하고 있을 때 하나님께서는 내게 그토록 어려운 문제를 출제하시고 6년 동안이나 나로 하여금 끙끙거리게 하셨던 그 문제의 해답을 가르쳐 주시기 위하여 서서히 나를 이 문제의 결론 부분으로 이끌어가고 계셨다.

사랑은 오래 참고

신문이나 잡지의 기자들이 나를 만나서 인터뷰할 때에는 여러가지 질문을 한 다음에 끝부분에 가서 꼭 물어보는 공통된 질문이 하나 있다.

"요즈음은 어떤 소설을 쓰고 계십니까?"

"어떤 작품을 구상하고 계시나요?"

그런 질문을 받을 때마다 나는 답변을 하지 않는다. 구상 중이거나 쓰고 있는 소설의 내용을 미리 이야기해 버리면 소설을 쓰는 나 자신의 의욕부터 미리 김이 빠져버리기 때문이기도 하지만 그것은 또 나의 독자들을 위한 것도 되는 것이다.

나는 독자가 새로 나온 나의 소설을 손에 들고 읽기 시작할 때 강렬한 호기심으로 흥분해 주기를 바란다. 그리고 그 소설에 끌려들어가 숨가쁘게 읽어나가다가 마침내 그것을 다 읽고서 책을 덮는 순간 혀를 두르며 그 소설의 신기한 구상과 뜻밖의 결말에 놀라게 되기를 기대한다. 그렇게 독자가 놀라고 있을 때 나는 이렇게 묻고 싶은 것이다.

"어때요, 놀랐지요?"

바로 그렇게 독자의 만족을 극대화시키기 위하여 나는 어느 누구에게도 쓰고 있는 소설의 내용을 미리 발설하지 않는다. 나중의 큰 기쁨을 위하여 잔 즐거움을 유보해 두는 것이다. 그것은 또한 소설을 쓰는 나의 즐거움이기도 하다. 글을 쓰는 일이 다 그렇겠지만 특히 소설에서는 충분한 설명을 위해서 절대적인 '분량'이 필요하고 그 분량을 메워나가기 위한 외로운 작업은 상당한 끈기와 인내가 없으면 불가능하다.

그런 일을 하는 나에게 독자가 소설을 읽고 나서 놀라는 표정을 생각한다는 것은 생각만 해도 즐거운 격려와 자극이 된다. 바로 그 재미가 나로 하여금 쉴 새 없이 소설 쓰는 일에 매달리게 하는 것이다. 그래서 나를 가장 기분 좋게 하는 것은 그렇게 놀란 독자들의 질문이다.

"그 많은 자료를 다 어디서 구했어요?"

"HAM이신 모양인데 호출부호가 어떻게 되십니까?"

"행글라이딩은 언제 배웠어요?"

"암벽 등반을 배우고 싶은데 어떻게 하면 되나요?"

"아니…… 윈드 서핑까지 하십니까?"

소설을 쓴다는 힘들고 어려운 작업이 이런 즐거움 때문에 이어져 나갈 수 있었듯이 나는 요즈음 하나님께서도 바로 이런 즐거움으로 그 외로운 일들을 끌어가고 계시는구나 하는 것을 깨닫고 있다. 하나님께서는 그 자녀들을 기르시고 훈련시키기 위해서 자주 우리를 위험한 상황 속에 집어넣으시고 어렵고 힘든 배역을 부여하신다.

하나님께서 계획하신 드라마 속에 휩쓸려 들어가고 있을 때 우리는 그 상황이 장차 어떻게 전개되어 갈 것인지 전혀 짐작을 할 수가 없다. 훈련이 진행되고 있는 동안에는 아무리 기도를 해도 하나님의 응답이 없고 힌트도 주어지지 않는다. 전과 비슷한 상황들이 발생한 것 같아서 이번에도 그런 것이겠지 하고 습관적으로 대처하다 보면 사건은 뜻밖에도 엉뚱한 방향으로 전개되고 우리는 또 쩔쩔맬 수밖에 없게 된다.

그래서 또 아우성치고 부르짖고 허우적거리다가 그 파란만장의 드라마가 다 끝나게 되어서 화면에 엔드 마크가 나타날 때 쯤 되어서야 모든 것이 하나님의 멋진 계획이었음을 깨닫고 그 놀라운 연출 솜씨에 깜짝 놀라게 되는 것이다. 그리고 바로 그 순간에 하나님께서는 비로소 우리에게 윙크하시면서 이렇게 말씀하신다.

"놀랐지?"

오직 그 한 말씀으로 우리가 그 동안 겪었던 온갖 시련과 허덕거렸던 모든 역경들이 한꺼번에 다 녹아버리는 것이다. 지금도 우리는 바로 그 놀라움과 감탄의 순간을 향하여 행진하고 있다. '인류의 역사'라고 하는 하나님의 거대한 드라마는 전혀 그 결말을 예측할 수 없는 가운데 결론 부분을 향해서 무섭게 질주하고 있다. 그러나 우리는 두려움 속에서도 흥분과 기대를 가지고 이 드라마의 끝부분을 기다린다. 이 모든 상황이 다 끝나는 날 우리는 모두 그 분의 멋진 솜씨에 깜짝 놀라게 될 것을 기대하고 있기 때문이다.

예수를 믿는 하나님의 자녀들은 모두 이러한 하나님의 놀라운 솜씨를 몇번이고 체험하면서 살아간다. 하나님께서는 우리가 그 분의 준비하신 하드 트레이닝의 한 코스를 넘길 때마다 그 과목의 목적과 의미를 깨닫게 하시고 칭찬과 격려를 해 주신 후에 또 다음 코스로 넘어가게 하시는 것이다. 88년 이후로 내게 주셨던 그 어려운 '요나의 과제'에도 그런 순간이 서서히 다가오고 있었다.

93년의 12월 26일은 주일이었고 이태원 교회의 당회가 있는 날이었다. 기획위원회에서 장로로 공천이 된 나는 당회의 인준을 받아야 했다. 재석 3분의 2 이상의 찬성표를 얻어야 하는 인준 과정에서 회중 앞에 나아가 인사를 하고 투표를 하고 개표할 때까지만 해도 나는 그냥 얼떨떨해서 앉아있었다. 그러나 막상 인준이 되었다는 발표가 있고 당회원들이 박수를 치는 순간 번개 같은 생각이 내 머리속을 스치며 지나갔다.

"아아, 하나님……."

지금의 내가 6년 전의 나 그대로였다면 어떻게 되었을 것인가? 청년들을 이끌고 열네 분의 장로를 상대로 대자보를 써붙이며 투쟁하던 그때의 혈기로 장로가 되었다면……. 나는 얼마나 골치 아픈 장로가 되었을 것인가? 실로 생각만 해도 모골이 송연한 일이었다. 나는 자리에 앉은 채로 등에 식은땀을 흘리고 있었다.

하나님께서는 철 없는 자식 하나를 장로로 만들어 내시기 위해서 지난 6년 동안 그 많은 시련을 주셔가며 나를 제단에 드려질 수 있는 '고운 가루'로 갈아내고 계셨던 것이다. 거칠고 흠이 있는 것은 하나님께 드리는 제물로 사용할 수가 없기 때문이다.

> 누구든지 소제(素祭)의 예물을 여호와께 드리려거든 고운 가루로 예물을 삼아 그 위에 기름을 붓고 또 그 위에 유향을 놓아 아론의 자손 제사장들에게로 가져올 것이요 제사장은 그 고운 기름 가루 한줌과 그 모든 유향을 취하여 기념물로 단 위에 불사를지니 이는 화제라 여호와께 향기로운 냄새니라(레 2 : 1)

그리고 또 나는 4년 전의 어느 날 새벽기도 시간에 하나님께서 보여주셨던 하얀 그릇이 생각났다. 그 깨끗한 그릇 속에는 열매들과 이슬이 맺힌 청결한 나뭇잎과 약봉지와 죽과 그리고 붓과 벼루가 나타났었다. 성경에서 그릇이란 말은 하나님의 일을 맡은 일꾼을 의미하는 것으로 사용되고 있었다.

> 그러므로 누구든지 이런 것에서 자기를 깨끗하게 하면 귀히 쓰는 그릇이 되어 거룩하고 주인의 쓰심에 합당하며 모든 선한 일에 예비함이 되리라(딤후 2 : 21)

결국 그 그릇속에 나타났던 열매들은 아름다운 열매를 맺으라는 하나님의 당부였고 이슬이 맺힌 청결한 나뭇잎은 교회를 빛내는 이슬이 되라는 뜻이었고 약봉지는 어려울 때마다 하나님께 의뢰하라는 약속이었다. 또 죽(粥)은 힘들 때마다 하나님께서 주시는 위로의 말씀으로 새 힘을 얻으라는 격려의 뜻이었고 붓과 벼루는 생명의 말씀을 글로 써서 전하는 일에 더욱 힘쓰도록 하라는 명령이었던 것이다. 디모데에게 준 바울의 편지에는 바로 내게 주신 이러한 말씀이 계속해서 적혀있었다.

> 또한 네가 청년의 정욕을 피하고 주를 깨끗한 마음으로 부르는 자들과 함께 의와 믿음과 사랑과 화평을 좇으라 어리석고 무식한 변론을 버리라 이에서 다툼이 나는 줄 앎이라 마땅히 주의 종은 다투지 아니하고 모든 사람을 대하여 온유하며 가르치기를 잘하며 참으며 거역하는 자를 온유함으로 징계할지니 혹 하나님이 저희에게 회개함을 주사 진리를 알게 하실까 하며 저희로 깨어 마귀의 올무에서 벗어나 하나님께 사로잡힌 바 되어 그 뜻을 좇게 하실까 함이라(딤후 2 : 22~26)

나는 놀라지 않을 수 없었다. 이미 하나님께서는 내가 장로되기 4년 전부터 이 말씀을 온전하게 보여주셨던 것이다. 당회가 끝나자 나는 아내와 함께 먼저 어머님께 달려가서 이 사실을 알렸다. 이미 80이 되신 어머님께서는 나를 물끄러미 바라보시더니 눈시울이 붉어지시면서 입을 열으셨다.

"친구들의 남편이나 아들이 장로가 될 때마다 늘 그렇게 부렵더니 이제 네가 내 소원을 풀어주었구나……."

어머님은 이제야 네가 외조부 유응량 장로와 이모님 유업진 전도사의 뒤를 잇게 되었다며 그 자리에서 축복의 기도를 해 주셨다. 어머님의 기도를 받으면서 나는 바울의 고린도전서 13장을 생각하고 있었다. 사랑은 오래 참는 것이라고 했는데 나는 그 '오래 참는 것'을 늘 나 중심으로만 생각해 왔다. 내가 하나님을 사랑하므로 어떤 어려움을 당하더라도 그저 오래 참아야 하는 것이 아니냐 하는 생각이었다.

그런데 나를 위하여 그토록 오래 참으며 바라고 계셨다던 어머님의 기도를 생각하면서 나는 그 등 뒤에 숨겨져 있던 하나님의 기다리심을 생각하게 되었던 것이다. 내 아이들이라도 내 말을 듣지 않고 속상하게 할 때에는 돌아서고 싶은데 하나님께서는 나로 인하여 얼마나 오래 참으시며 끈질지게 기다리고 계셨던 것인가!

고린도전서 13장은 나에 대한 요구만이 아니라 바로 하나님 자신의 사랑을 고백한 것이기도 한 것이었다. 그 오랜 동안 철없는 내가 마구 날뛰고 따지며 부르짖고 있을 때에 하나님께서는 내내 침묵하시며 바로 이날을 그렇게도 기다리고 계셨던 것이다.

> 사랑은 오래 참고 사랑은 온유하며…… 모든 것을 참으며 모든 것을 믿으며 모든 것을 바라며 모든 것을 견디느니라(고전 13 : 4~7)

그러나 하나님께서 내게 그 동안 하고 싶으셨던 말씀은 그것으로 다 끝난 것이 아니었다. 그토록 오랫동안 침묵하고 계시던 하나님께서 마침내 '오래 참으셨던' 그 말씀을 폭포수처럼 쏟아부으시기 시작하셨던 것이다.

당회에서 장로 인준투표가 있던 사흘 후의 수요일 새벽이었다. 나는 평소처럼 새벽기도회에 나가서 목사님의 성경 강해를 듣고 있었다. 그날의 본문은 창세기 27장, 늙어서 눈이 어두워진 이삭이 변장한 야곱에게 속아서 그에게 축복을 해 주는 장면이었다.

이삭은 본래 소극적인 야곱보다는 활달하고 효성스러운 장자 에서를 더 사랑했고 그가 사냥한 짐승의 고기로 만들어오는 요리 먹기를 즐겨했다. 그러나 에서가 사냥 나간 사이에 야곱을 더 사랑하고 있던 그 모친 리브가는 야곱에게 오늘 네 부친이 에서에게 축복을 해 줄 모양이니 형 대신에 들어가서 부친의 축복을 받으라고 일렀다.

"염소의 좋은 새끼를 내게로 가져오면 내가 그것으로 네 부친을 위하여 그 즐기시는 별미를 만들리니…… 네가 그것을 가져 네 부친께 드려서 그로 죽으시기 전에 네게 축복하기 위하여 잡수시게 하라."

평소에 늘 형의 장자권을 탐내고 있던 야곱이어서 축복을 받고 싶기는 하나 아버지를 속인다는 일이 그렇게 간단한 것은 아니었다. 야곱은 겁먹은 얼굴로 모친에게 말했다.

"형 에서는 털사람이요, 나는 매끈매끈한 사람인즉 아버지께서 나를 만지실진대 내가 아버지께 속이는 자로 뵈일지라…… 복은 고사하고 저주를 받을까 하나이다."

그러자 리브가는 야곱에게 에서의 옷을 입히고 그의 손과 목에 염소의 가죽을 씌워서 털이 많은 에서로 변장시켜 염소 새끼의 요리를 들고 아버지께 들어가게 하였던 것이다. 눈이 어두운 이삭은 야곱을 에서인줄로 알고 그의 요리를 먹고 그에게 축복을 해 주었다.

내 아들의 향취는 여호와의 복 주신 밭의 향취로다
하나님은 하늘의 이슬과 땅의 기름짐이며
풍성한 곡식과 포도주로 네게 주시기를 원하노라
만민이 너를 섬기고 열국이 네게 굴복하리니
네가 형제들의 주가 되고
네 어미의 아들들이 네게 굴복하며
네게 저주하는 자는 저주를 받고
네게 축복하는 자는 복을 받기를 원하노라
(창 27 : 27~29)

너무나 잘 아는 이야기여서 나는 그저 담담하게 목사님의 말씀을 듣고 있었다. 하나님께서 그 동안 고생해 온 내게 위로의 말씀을 주시는구나 하는 정도로만 생각했다. 그러다가 갑자기 내 눈시울이 뜨거워 왔다. 그러나 그저 그런 정도가 아니었다. 나는 그만 마구 눈물을 쏟으며 흐느껴 울기 시작했던 것이다.

너무나 갑작스러운 일이어서 나 자신도 놀랐다. 나는 처음에 내가 왜 울고 있는지도 몰랐다. 그러나 곧 정신을 차리면서 내가 왜 그렇게 되었는가를 알아채기 시작했다. 놀라운 깨달음이 나를 후려치고 있었다.

(과연 이삭은…… 에서와 야곱을 구별하지 못했던가? 과연 이삭은 사냥해 온 고기와 염소 새끼의 고기를 구별할 수 없었던가?)

너무나 상식적인 의문이 나를 충격 속으로 몰아넣고 있었다. 사람은 시각을 잃어버리면 그것을 보충하기 위하여 촉각이나 후각 또는 미각이 극도로 발달하게 되는 것이다. 그런데 이삭은 그가 에서임을 확인하기 위하여 그를 '만졌고' '냄새를 맡았고' '요리를 먹었다'. 그리고 이삭은 두 번이나 야곱에게 물었다.

"네가 참 내 아들 에서냐?"

나는 속으로 부르짖었다. 이삭은 그의 앞에 있는 아들이 에서가 아닌 줄 알고 있었던 것이다! 그런데도 이삭은 변장을 하고 나아와 염소 고기를 드리며 축복을 애원하는 야곱에게 모르는 척하고 축복을 해 주었다. 나는 왜 갑자기 내가 그토록 울고 있었던가를 비로소 깨달았다.

(내가 바로 하나님의 눈을 속인 야곱이었다!)

벌거벗은 몸의 여기저기를 염소의 가죽으로 적당히 가린 채 수고하여 사냥한 고기가 아닌 시장에서 바삐 사들고 온 염소 새끼의 요리를 들고 하나님 앞에 나아가서 '내가 에서입니다.

나를 축복해 주소서'라고 애원하던 내가 바로 야곱이었던 것이다. 그런데도 하나님께서는 그 동안 내게 엄청난 복을 주시지 않았던가!

나는 너무나 놀라고 있었다. 하나님께서는 에서와 야곱을 분별할 수 없을 정도로 눈이 어두우신 분이 아니었다. 아니, 나를 너무나 사랑하셔서 그만 눈이 어두워지셨는지도 모르지만 그렇다면 나의 냄새와 감촉을 더욱 잘 알고 계실 것이었다. 그런데도 나는 늘 엉성한 염소털로 변장하고 염소 고기를 들고 나아가서 내가 에서이니 축복해 달라고 졸라대었던 것이다.

그 동안 나는 직장생활을 해 가면서 틈틈이 글을 써서 하나님 앞에 드렸다. 10년 동안 쓴 책이 모두 열일곱 권이었으니 아내와 내가 지금까지 건강하게 살아있는 것만 기적이 아니고 그것이 바로 기적이라고 할 수 있었다. 그것은 참으로 나 혼자서는 할 수 없는 일이었고 하나님께서 그 일을 하셨다고 고백할 수밖에 없었다.

(나는 늘 부족했어도 하나님께서는 눈이 어두운 척하시며 내게 복을 주셨던 것이다!)

바로 그래서 나는 그렇게 울고 있었던 것이다. 엉성한 염소가죽 사이로 여기저기 드러난 부끄러운 곳들이 견딜 수 없이 서러워서 그리고 그 모든 것들을 못본 척하시며 내가 가지고 온 염소 고기 요리를 아무 말씀 없이 받아주셨던 하나님이 너무나 딱하셔서 나는 그렇게 오랫동안 흐느끼고 있었던 것이다.

그러나 이제 하나님께서는 네 모든 세상 일을 다하고 틈틈이 나눠주는 시간 같은 것은 더 이상 받지 않겠다고 하시는 것 같았다. 시장에서 적당히 사온 염소 고기의 요리도 이제 그만 드시겠다는 것 같았다. 하나님께서는 이제 나를 몽땅 소유하고 싶으신 모양이었다. 마치 이삭이 야곱에게 물었던 것처럼 하나님께서는 내게 그렇게 묻고 계셨다.

"네가 참 내 아들 에서냐?"

직장생활을 하면서 나름대로 허겁지겁 뛰기는 했지만 그렇게 바쁘다 보니 사실은 하나님께 소홀했던 일도 많았다. 그러나 이제는 하나님께서 더 이상 덤으로 얻어받는 사랑 정도로는 감아주실 수는 없다고 선언하시는 것 같았다. 실제로 하나님께서는 나를 그쪽으로 몰아가고 계셨다.

장로로 인준이 되면서 아직 신천 장로 교육과 지방회의 임명도 받기 전에 이미 나는 신년도의 교육부장 겸 교회학교의 교장으로 임명을 받았다. 감리교회의 교회학교 교장이라는 것은 유치부 아동부에서부터 학생부와 청년부 그리고 장년부의 교육까지도 모두 담당해야 하는 몹시 바쁜 직분이었다. 더구나 장로가 되고 보니 각종 집회의 참석도 성도들의 모범이 되어야 했고 여러가지 회의에도 참석하지 않으면 안되었다.

(나는 언제까지나 이렇게 허둥지둥 염소 고기를 사들고 다닐 것인가?)

나는 다시 이 일을 가지고 아내와 의논하기 시작했다. 소설의 집필도 제대로 하기가 어렵고 각 교회에서 들어오는 집회 요청에도 마음대로 응하지 못하고 장로의 직분도 제대로 감당

할 수가 없을 것 같으니 어느 쪽이든 정리를 해야 되지 않겠느냐는 것이었다. 그러나 아내는 아직도 내 말을 수긍해 주지 않고 있었다.

"아니…… 다른 분들은 직장생활을 하면서도 장로를 잘만 하던데 당신은 왜 그래요?"

"내 경우에는 좀 다르잖아? 글도 써야 하고 간증 집회에도 불려다녀야 하고……."

"간증 집회를 좀 줄이세요. 당신이 받은 달란트는 본래 글 쓰는 것이지 강단에 서는 것이 아니잖아요? 신학교를 나온 목회자도 아닌데 이제부터는 간증 집회를 좀 줄이고 본교회 봉사를 더 충실히 하세요."

그러나 그것도 쉬운 일이 아니었다. 엄연히 일정표가 빈칸으로 되어 있는데 와달라는 교회에 바쁘다는 핑계로 안 간다면 또 '요나의 사건'이 재현될까봐 두렵지 않을 수 없었던 것이다.

"여보…… 하나님의 일을 열심히 할 수 있는 것도 다 때가 있는거야. 조금만 더 조금만 더…… 하다가 때를 놓칠 수도 있어."

그러나 아내는 눈도 깜짝하지 않았다.

"모세는 80세부터 하나님의 일을 시작했는데 무슨 걱정이에요? 그리고 당신…… 이왕 직장생활을 시작했으면 그래도 최소한 상무 정도는 돼가지고 물러나야지 이사에서 그만둔다면 억울하지도 않아요?"

그것도 일리는 있는 말이었다. 나는 이미 2년 동안이나 승진에서 누락되어 왔기 때문에 이번이 마지막 고비였다. 새로 온 사장이 나를 어떻게 생각하고 있는지는 모르지만 이왕 발표가 며칠 안 남았으니 성급하게 생각할 것 없이 기다려 볼 만도 한 일이었다. 그러나 사장은 내가 예상했던 대로 회사의 난감한 국면을 타개하기 위하여 충격요법을 썼다. 그는 회사의 안과 밖에 자신의 개혁의지를 보여주기 위해서 밀려있는 고참들의 승진을 눌러놓은 채로 젊은 인재들을 대거 발탁했던 것이다.

부하 직원이 겁먹은 표정으로 가지고 들어온 승진자 발표 내용을 받아보고 나서 나는 속으로 쾌재를 불렀다.

(드디어 해방이다. 주여, 감사합니다!)

이제야 하나님의 뜻이 '분명하게' 된 것이었다. 만약 내가 승진이 되었다면 나는 또 아내의 말을 따라서 몇년 쯤 더 머뭇거렸을 것임에 틀림없었다. '그래도 혹시나……' 하며 머뭇거리고 있던 나에게 아주 명쾌하게 결론을 내려주신 하나님께서는 그제서야 빙그레 웃으시며 윙크를 하시더니 비로소 한 말씀 하시는 것이었다.

"놀랐지?"

그렇게 놀려대시는 하나님께 나는 터져나오는 웃음을 감추고 골난 아이처럼 눈을 흘겨드리면서 아내에게 전화를 걸었다.

"여보, 이제는 하나님의 뜻이 명백하게 결정된 것 같소. 결국 후배들에게 추월을 당했어."

워낙 눈치가 빠른 아내인지라 내 설명을 듣더니 금방 상황을 알아채고 내게 말했다.

"당장 사무실 정리하고 들어오세요."

"고맙소."

나는 우선 관계되는 연락처마다 내가 이제 직장을 그만두었으니 앞으로는 집으로 연락해 달라고 부탁해 놓은 다음 사무실을 정리했다. 연락을 받은 홍성사의 정애주 사장이 직장생활 끝내는 것을 축하한다면서 꽃다발을 들고 찾아왔고, 〈낮은 울타리〉의 여기자들은 초콜릿을 사들고 찾아와서 나의 새로운 출발을 반겨주었다.

사무실을 정리해 놓고 나는 사장실로 찾아가서 퇴직 인사를 했다.

"그 동안 더 잘 도와드리지 못해서 죄송합니다."

내가 그렇게 인사를 하자 사장은 섭섭하다는 표정을 지어보이며 말했다.

"좀더 함께 일해 보고 싶었는데……."

"이렇게 하는 것이 사장님을 도와드리는 길이라고 생각했습니다."

"아시다시피 나도 또한 경쟁을 하고 있는 입장이어서…… 어쩔 수 없었던 사정을 이해해 주기 바랍니다."

이제 직장생활을 정리하고 떠나는 내 입장에서 보니까 아직도 경쟁 속에서 발버둥 쳐야 하는 사장의 입장이 오히려 몹시 안쓰러워 보였다.

"그 동안 여러가지로 감사했습니다. 안녕히 계십시오."

사장에게 인사를 하고 나와서 함께 고생하던 동료들에게는 전도용으로 가지고 있던 성경책 한 권씩을 나누어 주면서 작별을 했다. 사무실을 나서면서 나는 비로소 내가 '믿음의 길'에 입문하고 있음을 깨달았다.

믿음으로 아브라함은 부르심을 받았을 때에 순종하여 장래 기업으로 받을 땅에 나갈새 갈 바를 알지 못하고 나갔으며……(히 11 : 8)

다음날 나는 성경책 한 권과 찬송가 한 권을 싸들고 부평 공장에서 수고하고 있는 회장을 찾아가서 작별의 인사와 함께 그 동안 돌봐주신데 대하여 감사를 드렸다. 그리고 가지고 갔던 성경과 찬송가를 선물했다.

"저…… 회장님은 어렸을 때 교회에 나가신 적이 있으시지요?"

"어머니를 따라서 많이 다녔어."

"세례는 받으셨던가요?"

"어렸을 때 받았지."

"이제는 회장님도 새로운 인생을 시작하실 때가 된 것 같습니다. 주일이면 교회에 나가 주일학교 교사도 하고 돌아가신 어머니 전인항 권사님의 뒤를 이어 집사 권사 장로도 되십시오. 그렇게 사는 것이 바로 새로운 인생입니다."

"교회에서 일하는 대신 밖에서 열심히 일하면 될거 아냐?"

"하나님께서는 엿새 일하고 하루를 쉬라고 하셨습니다. 회장님 눈치 보느라고 교회에 못 나가는 사람들이 생기면 하나님께서는 그 책임을 회장님께 물으실 것입니다. 정동교회의 새 건물을 지어 바치셨다고 들었습니다만…… 건물 지어서 바친다고 구원받는 것은 아닙니다."

"그건…… 나도 알고 있어."

"예수 없이 짓는 집은 모래 위에 쌓는 성입니다. 회장님께서 교회에 나가셔야 대우는 일류가 됩니다."

"……."

"안녕히 계십시오."

"그래…… 고맙네."

회장은 어딘가 쓸쓸해 보이는 얼굴로 내 손을 잡았다. 아들을 잃은 이후로 그의 얼굴 한쪽 구석에는 늘 그렇게 쓸쓸한 그늘이 깃들고 있었다. 회장과 작별을 하고 부평 공장을 나와 고속도로를 달리면서 나는 비로소 하나님을 향하여 환한 미소를 머금으며 큰 소리로 외쳤다.

"이제 볼은 하나님 쪽으로 넘어갔습니다!"

나는 하늘을 바라보았다. 어쨌든 오늘 주님의 표정도 환하신 것만은 틀림없었다. 나는 찬송가 '내 주여 뜻대로'를 큰 소리로 부르면서 차를 몰았다.

내 주여 뜻대로 행하시옵소서
내 모든 일들을 다 주께 맡기고

저 천성 향하여 고요히 가리니
살든지 죽든지 뜻대로 하소서

마치 라반의 집에서 빠져나오는 야곱의 해방감이었다. 나는 비로소 3년 전에 기도원을 찾아가서 도대체 나에게 원하시는 것이 무엇이냐며 부르짖고 있을 때 하나님께서 내게 주셨던 응답의 말씀이 생각나고 있었다.

"나는 네가 자유로워지기를 바란다."

그때 이미 하나님께서는 필요한 모든 말씀을 내게 다 주셨는데도 나는 그만 미련하여 3년 동안이나 머뭇거리고 있었던 것이다. 하나님께서는 그 후에 또 내게 욥기의 말씀으로 가르치시지 않았던가?

네 보배를 진토에 버리고
오빌의 금을 강가의 돌에 버리라
그리하면 전능자가 네 보배가 되시며
네게 귀한 은이 되시리니
이에 네가 전능자를 기뻐하여
하나님께로 얼굴을 들 것이라
너는 그에게 기도하겠고
그는 들으실 것이며

너의 서원한 것을 네가 갚으리라……
(욥 22 : 24~27)

하나님께 내가 서원해야 할 것은 무엇이었던가? 바로 야곱의 속임수 때문에 축복을 빼앗긴 에서의 후손들처럼 내 앞에는 염소털로 위장했던 나에게 축복을 빼앗긴 형제들이 기다리고 있다. 야곱이 라반의 집에서 돌아올 때에 에서를 위하여 풍성한 선물을 준비한 것같이 나도 그 형제들을 위해 그들에게 전할 하나님의 말씀을 준비해야 하는 것이었다.

나는 바로 4년 전의 새벽기도 시간에 하나님께서 하얀 그릇을 보여주셨던 그때 하얀 비둘기 한 마리가 나타나서 입에 물고 있던 나뭇가지로 '시기'라는 글씨를 썼던 것을 기억하였다. 그것은 곧 만물의 마지막 즉 '시기'(時期)가 가까웠으니 '시기'(時機)를 놓치지 말고 일하라는 말씀이었던 것이다.

내가 직장을 그만두고 자유의 몸이 되었던 그때에 나는 국민일보에 '역경의 열매'라는 간증의 글을 연재하고 있었다. 이미 내가 예수님을 만나게 되었던 일에 대해서는 간증집 〈사랑은 죽음같이 강하고〉에 적어놓았기 때문에 나는 앞의 부분을 간추려서 소개한 다음 88년 이후로 내게 주어졌던 그 하나님의 어려운 출제에 대해서 쓰고 있었다.

나는 그 어려운 출제에 대한 해답이 거의 다 나온 것으로 생각하여 내가 장로로 인준되는 장면을 라스트 신으로 삼아 그 글을 쓰기 시작했었다. 하나님께서는 철없던 나를 장로로 만드시기 위해서 그토록 오랫동안 참으시며 기다리셨고 그 분의 인내를 내가 깨닫게 되는 것으로 그 글의 끝을 맺으려 하고 있었다.

그런데 바로 그 연재가 거의 끝나갈 즈음에 하나님께서는 내 직장의 문제까지도 신속하게 결론을 내주셨던 것이다. 물론 나는 그 일까지도 추가해서 '역경의 열매'의 마지막 부분에 적어넣었다. 하나님께서는 그 글을 통해서 6년 간이나 계속되었던 그 난해하고도 스릴 있었던 미스터리를 시원하게 풀어주신 것이었다.

이제 나에게는 자유가 주어졌지만 하나님께서 내게 보여주셨던 그 커다란 곰의 문제가 아직 남아있었다. 배가 불러서 졸음에 취해 있는 황금빛 털의 그 곰은 뱀이 그 몸을 감고 그의 코끝을 물어뜯고 있는데도 잠에 취해서 앞발만 허공에 휘젓고 있었던 것이다. 한국 교회는 언제나 그 배부름에서 깨어나 눈을 뜰 것인가.

한국의 교회가 깨는 날이 바로 통일의 날이 될 것이고 하나님의 뜻을 이루시는 날이 될 것이었다. 내 관상동맥의 3분지 1이 막혀있었듯이 이 나라 인구의 3분지 1이 살고 있는 북한도 그렇게 막혀있다. 그 3분지 1이 우리의 아픔이듯 그것은 또한 하나님의 아픔이기도 하다.

그러나 하나님께서 막아놓으셨던 나의 관상동맥을 50일 만에 뚫어주셨듯이 이 나라의 오랫동안 막혔던 것도 그렇게 뚫어주실 것이다. 그것이 뚫리려면 우선 배부른 곰처럼 졸음에 취해 있는 교회가 잠에서 깨어나야 한다. 뱀과의 마지막 싸움에서 이기려면 교회는 내가 심장이 막혀있던 때의 그 기도처럼 두 손을 들고 주님 앞에 항복해야 할 것이다.

내가 옛날을 기억하고
주의 모든 행하신 것을 묵상하며
주의 손의 행사를 생각하고
주를 향하여 손을 펴고
내 영혼이 마른 땅같이 주를 사모하나이다

내가 쓰고 전해야 할 말씀은 바로 이것이었다. 나의 체험을 통해서 한국 교회가 해야 할 일을 전하는 것이었다. 한국 교회는 깨어 일어나 하나님께서 이 나라에 행하신 모든 일을 기억하고 두 손을 들고 기도하며 모든 막힌 것을 뚫어주시기를 탄원해야 하는 것이었다. 그리하여 뱀의 머리를 물어뜯고 그것을 앞발로 찢으며 하나님께서 주신 마지막 때의 사명을 감당해야 하는 것이었다.

사실 나는 간증 집회 때문에 여러 교회들을 다녀보면서 한국 교회가 서서히 그 졸음에서 깨어나고 있는 것을 느꼈다. 특히 규모가 작은 교회들 중에서 더 작은 농촌 교회들을 힘에 벅차도록 돕고 수많은 해외 선교사들에게 송금하는 것을 목격했다. 이미 교회 예산의 50내지 70퍼센트를 해외 선교비에 쓰고 있는 교회도 있었다.

또 한편으로는 이런 일을 전혀 하고 있지 않은 교회에서 주로 젊은 집사들을 중심으로 '이래서는 안된다'는 자각이 일어나고 있었다. 아직도 교회 예산을 교회 안에서만 다 쓰고 있는 교회에서는 젊은 집사층과 교회의 지도층 간의 괴리가 심각할 정도로 확대되고 있었다.

하나님께서는 한국을 잿더미 속에서 일으키시어 세계 10위의 무역대국으로 길러 놓으셨고 거의 모든 산업을 세계 10위권 이내로 성장시키셨다. 또 그것에 비례하여 교회도 성장시키셨다. 한국 교회가 지금 세계 교회의 중심이 되어 있는 것을 자타가 공인하고 있다. 그런데도 한국 교회가 해외에 파견한 선교사는 겨우 2천6백 명이고 연간 1조5천억 원이 넘는 헌금 가운데 해외선교에 사용되는 금액은 겨우 2백억 원이다. 이 숫자가 바로 한국 교회의 문제점을 단적으로 보여주고 있는 것이다.

일을 해야 한다고 주장하는 '여호수아 세대'와 일을 하고 싶지 않은 지도층 사이의 문제는 지금 한국의 상당히 많은 교회에서 심각한 현안문제로 떠오르고 있다. 교회가 앞으로 이들의 문제 제기에 계속해서 무관심하다면 결국 그 교회는 죽은 교회가 되어서 도태되고 말 것이다. 그래서 나는 '한국 교회의 갱신'에 대한 글을 써달라고 청탁한 〈현대종교〉지에 잠자는 교회들을 흔들어 깨우기 위해서 이렇게 썼다.

당신이 지금 출석하고 있는 교회가 일을 안하고 있는가?

과감하게 교회를 옮겨라! 당신의 교회는 지금 미자립 교회를 몇개나 돕고 있으며 해외 선교에 얼마나 투자했고 사랑의 쌀에 얼마를 냈으며 아프리카 돕기 운동에 얼마를 내고 있는가? 만일 당신의 생각에 그 숫자가 부족하다고 생각되면 신속하게 일하는 교회로 옮겨라. 불의한 목자에게 양을 맡기지 않는 것이 하나님의 뜻이다.

나는 월간지 〈신앙계〉에 교회 개혁의 첩경은 선거제도의 개혁이라고 쓴 적이 있었다. 교단 싸움의 가장 큰 원인은 하나님의 일꾼을 뽑는데 사람이 투표하는 행위 때문이다. 성경에는 어디에고 하나님의 일꾼을 뽑을 때 투표로 뽑지 않았다. 가룟 유다의 죽음으로 결원이 생긴 사도의 후임을 뽑을 때 하나님께 기도 드린 후 제비로 맛디아를 뽑았고 다윗은 성전의 모든 일꾼들과 성가대까지도 제비로 뽑았다. 교단의 모든 책임자를 제비로 뽑는다면 교단의 분열과 갈등은 절대로 발생하지 않을 것이다.

이 글을 읽은 영광교회의 박광재 목사님에게서 반갑다며 전화가 왔다. 놀랍게도 이분은 이미 20년 전부터 이 성경의 제비뽑기를 연구해 왔고 자신의 목회에서 이를 적용하고 있는 분이었다. 박 목사님은 그 후 미국 지역의 목회자 세미나에서 이 문제에 대한 강의를 했고 한국에도 이 제도를 회복시키기 위하여 헌신하실 것이다.

이렇게 이미 한국의 교회들은 잠에서 깨고 있다. 유대인들은 공기중의 산소 비율에서 나온 22대 78이라는 법칙을 애용한다. 단결한 22퍼센트가 전체를 좌우한다는 법칙이다. 한국의 그리스도인은 이미 25퍼센트를 넘어섰다. 하나님께서 우리에게 주실 만큼은 이미 다 주신 셈이다. 황금빛의 곰이 잠에서 깨는 날 한국은 드디어 통일이 되고 진정한 '제사장의 나라'가 될 것이다.

내가 이 모든 결론들을 정리하고 있는 동안에도 아직 '요나의 사건'은 그 뒷풀이가 계속되고 있었다. 국민일보에 실린 내 글을 보고 나의 해방되었음을 알게 된 '건너가게 하소서'의 임동진 장로가 미국의 LA에 갔던 길에 그 동서가 되는 이정식 집사를 만났다. 대화 중에 내 이야기가 나왔고 임 장로는 내가 자유의 몸이 되었다는 것을 알려주었다. 이정식 집사는 뜻밖의 중요한 정보를 가장 빨리 얻게 된 셈이었다.

그는 즉시 이 사실을 그가 출석하던 LA 감사한인교회의 김영길 목사님께 보고했고 그 교회에서는 김성일 초청집회가 신속하게 추진되었다. 이것을 알게 된 임동진 장로는 그 동서에게 미리 이렇게 으름짱을 놓았다.

"김성일 장로가 간증 집회에 나갈 때에는 반드시 그 부인과 동행을 하니까 부부 동반으로 초청을 해야만 성사가 될걸세."

"알았습니다."

이렇게 해서 나는 LA의 감사한인교회에서 6월 22일부터 나흘간 집회를 하게 되었고 다시 뉴 저지에 있는 갈릴리교회의 김도언 목사님께도 연락이 되어서 그쪽에서도 나흘 집회를 하기로 되었다. 6년 전에 기독교 방송 팀이 간다고 할 때에 미국의 동부와 서부를 돈다고 하더니 결국 나는 그 길을 따라서 가게 된 것이었다.

94년 4월 22일 서교 호텔의 중국관에는 네 사람이 저녁 식탁을 중심으로 둘러앉아 있었다. 88년 '요나의 문제'가 생겼을 때부터 나의 상담자가 되어주었던 이재철 목사님과 미국에서 귀국한 이정식 집사 그리고 임동진 장로와 나 그렇게 네 사람이었다. 이정식 집사로부터 비행기 티켓을 받아든 나는 웃으면서 이 목사님을 바라보았다.

"결국 이렇게 가게 되는군요. 요나가 물고기 뱃속에서 나와서 결국 니느웨로 갔던 것처럼……."

이 목사님도 웃으며 고개를 끄떡이셨다.

"그렇군요. 그러나…… 요나가 바로 니느웨로 간 것이 아니고 환난을 당한 후에 갔던 것에 의미가 있지요. 어려움을 겪은 후에 다시 니느웨로 간 요나는 그래서 더욱 힘찬 목소리로 하나님의 말씀을 전할 수 있었고 그래서 니느웨 사람들을 그렇게 감동시킬 수 있었던 것입니다."

"그러니까…… 요나가 늦게 가긴 했어도 하나님의 계획은 결코 늦으신 것이 아니었군요."

"그렇지요. 이제 김 장로님도 그만큼 시련을 당하시고 미국에 가시게 되었으니 더 감동적인 간증을 할 수 있게 되시지 않았습니까?"

그러나 미국에서의 집회 요청은 그것만으로 그치지 않았다.

10월에는 워싱턴 한인교회와 시카고 중앙교회 그리고 디트로이트 중앙교회에서 집회를 하기로 되었다. 그러나 하나님께서는 그동안 어려운 출제를 내주셔서 6년 동안 고생시키신 것이 안됐다고 생각하셨는지 거기다가 또 하나의 보너스를 보태주셨다.

하루는 국민일보 기획조정실의 박승동 과장에게서 전화가 걸려왔다.

"김 장로님 여전히 바쁘시지요?"

"그렇군요. 직장생활을 할 때보다도 더 바쁜 것 같아요."

"혹시 한 보름 정도 해외 여행을 할 만한 시간을 내실 수 없겠습니까?"

"왜 그러시죠?"

"이번 저희 국민일보에서 성지 탐방 사업을 시작하는데 김 장로님을 게스트로 초청하려고 합니다만……."

순간 나는 눈이 번쩍 뜨였다. 83년도에 출장 중 하루를 쪼개내어 번개불에 콩 구워먹기 식으로 성지를 둘러보려다가 실패한 적이 있었고 그 후로도 업무차 세계 각국에 다 출장을 다녀보았지만 예루살렘에는 가 볼 기회가 없었던 것이다.

"보름 간이라면…… 8월 하순밖에 안되겠는데요."

"좋습니다. 그러면 8월 25일에 출발하시는 것으로 알고 계획을 추진하겠습니다."

"저…… 집사람과 같이 가도 되겠습니까?"

"네, 물론입니다."

사실 나는 그 동안 제발 성지를 한번 구경하게 해 달라고 하나님께 간절히 기도해 왔었는데 결국 그것이 11년 만에 응답이 되었던 것이다. 이 모든 일들이 되어가는 것을 지켜보며 해외여행 준비를 하던 아내가 나에게 웃으면서 말했다.

"직장을 그만두지 않았더라면 큰일 날 뻔 했어요."

사실 대기업에 근무하고 있는 임원이 부부 동반으로 해외여행을 간다는 것은 지사 근무자가 아니면 꿈도 못 꾸는 일이었다. 아무리 직위가 높은 최고경영자들도 아내와 함께 해외에 다녀왔다는 것을 그 위쪽에서 알게 되면 즉각 '찍히게' 되어 있었다.

하나님께서는 나 때문에 두번이나 배를 째고 고생을 해 온 아내를 아주 이번에 단단히 위로해 주시려는 것 같았다. 아내의 말을 들으며 어느새 내 눈은 예루살렘으로 향하고 있었다. 주님께서 세상에 오셨던 그 감동적인 발자취를 이제야 가보게 된 것이었다. 그 동안 내가 썼던 소설들마다 예루살렘이 나오지 않는 소설은 하나도 없었다. 〈땅끝에서 오다〉 〈땅끝으로 가다〉 〈제국과 천국〉 〈홍수 이후〉 〈땅끝의 시계탑〉 〈다가오는 소리〉 〈땅끝의 십자가〉…… 그 모든 소설에는 반드시 예루살렘이 나오고 있었다. 그럴만큼 예루살렘은 나에게 있어서 열렬한 사모의 땅이었던 것이다.

"주여…… 당신의 체취가 서려있는 그 땅을 보게 하여 주시니 감사합니다."

하나님의 아들이 이 땅에 오셔서 사람을 위로해 주시고 어루만져 주셨던 예루살렘은 바로 하나님께서 그 분의 본심을 보여주셨던 장소였다. 하나님께서는 인생으로 고생하며 근심하게 하심이 본심이 아니시라고(애 3 : 33) 말씀하셨는데 그 '하나님의 본심'이 바로 예수 그리스도가 되어 이 땅에 오셨던 것이다.

멀리 예루살렘을 향하는 나의 눈에는 나를 위하여 그토록 오랫동안 참아주셨던 하나님을 향한 내 감사와 그리움이 가득하게 담겨져서 자꾸만 뜨거워오고 있었다.

어미가 자식을 위로함같이
내가 너희를 위로할 것인즉
너희가 예루살렘에서 위로를 받으리니
너희가 이를 보고 마음이 기뻐서
너희 뼈가 연한 풀의 무성함 같으리라……
(사 66 : 13~14)

7-16-96

조응자

저자 김 성 일

· 1940년 서울 출생
· 1961년 현대문학지에 단편 〈분묘〉, 〈흑색시말서〉로
　소설 추천 완료
· 1965년 서울대학교 공과대학 기계공학과 졸업
· 1985년 제2회 기독교 문화상 수상

작품 : 〈땅끝에서 오다〉 (홍성사 7—22)
〈땅끝으로 가다〉 (홍성사 7—30)
〈제국과 천국〉 전2권 (홍성사 7—44, 45)
〈뒷골목의 전도사〉 (홍성사 7—64)
〈사랑은 죽음같이 강하고〉 (홍성사 7—70)
〈홍수 以後〉 전4권 (홍성사 7—76~79)
〈땅끝의 시계탑〉 전2권 (홍성사 7—88, 89)
〈다가오는 소리〉 (홍성사 7—96)
〈땅끝의 십자가〉 전2권 (홍성사 7—121, 122)

〈성경과의 만남〉 (국민일보사)
〈성경대로 살기〉 (국민일보사)
〈비느하스여 일어서라〉 (국민일보사)
〈건너가게 하소서〉 (국민일보사)
〈성경의 신비〉 (공저, 국민일보사)

Hong Sung Sa, Ltd.
株式會社 弘盛社

사랑은 언제나 오래 참고

저 자/김 성 일

1994. 8. 20. 초판 발행
1995. 7. 20. 6쇄 발행

발행인/이재철
편집인/정애주
제작 · 미술/홍순홍, 권진숙, 김자옥
편집/정지현, 구순영, 윤혜란
관리/이남진, 유준희
영업/전영민, 박봉규, 김미선
총무/이충길, 정희자
쿰선교원/이점례, 이순이
글방/이낭우

발행처 주식회사 홍성사
121-220 서울 · 마포구 합정동 377-9
TEL. 333-5161~4
FAX. 333-5165

등록번호 제 1-499호
등록일자 1977. 8. 1

은행지로 No. 3002665
제 일 은 행 302-10-059484 (주)홍성사
국 민 은 행 008-01-0095-976 (주)홍성사
우체국 온라인 011890-0031926 (주)홍성사

정가 5,500원 * 잘못된 책은 바꾸어 드립니다.

Printed in Korea
ISBN 89-365-0125-9